KB062253

좋아하는 라디오로 직업을 만들었습니다

좋아하는 라디오로 직업을 만들었습니다

라디오 크리에이터 DJ줄리의 에세이

좋아하는 일에 도전하는
용기를 가진 당신을 응원하며

작가의 말

"좋아하는 일이 직업이 될 수 있을까요?"

누군가 이 질문을 한다면 저는 무조건 된다고 말할 겁니다. 왜냐면 해보지 않았으니까요. 앞으로 잘 될지 안 될지, 앞날은 아무도 모르는데 개인적으로 판단하는 게 조금 어리석기도 합니다. 개개인의 숨겨진 잠재력이 충분히 있을 수 있고, 휙휙 바뀌는 세상에 어떤 직업이 잘 될지 안 될지 한 명이 판단할 수 없거든요.

특히나 시작을 망설이는 사람에게 '안 된다', '조금 어렵고 힘들 거다'라고 부정적으로 말하는 건 큰 걸림돌이 됩니다. 아무리 현실적인 판단이라 해도 한 사람의 미래를 정확히 맞힐 만큼 신기 넘치는 사람도 없을 겁니다. 소문난 무당의 말도 틀리는 것처럼요.

퇴사하고 좋아하는 라디오로 직업을 시작하려 했을

때, 저조차도 미래가 그려지지 않아 불안했습니다. 그렇지만 하고 싶은 마음이 컸고, 나를 믿고 시작했습니다. 가진 것도, 이룬 것도 없는 상황에서 나를 믿는 건 쉽지 않습니다. 그렇지만 돌아보니 내가 제일 나를 믿어야 앞으로 나아갈 수 있더라고요. 그러니 우리 부디 휘둘리지 말아요.

이 책은 라디오 크리에이터에 대한 이야기가 아닌, 좋아하는 일에 도전해 직업으로 만드는 과정을 담은 이야기입니다. 뜻대로 되지 않고, 계속해도 나아지지 않는 상황에서 어떻게 이겨내고 마음을 다잡아 하나씩 일을 만들었는지를 적었습니다. 제 이야기를 통해 좋아하는 일을 하는 모든 분께 큰 위로와 힘이 되었으면 좋겠습니다.

이 책을 읽는 순간 우리는 같은 배를 타고 가는 친구가 되는 겁니다.

차례

작가의 말 8

Part 1 : 본격, 라디오 도전!

5년 차 직장 경력을 포기할 용기 16
새로운 출발을 위한 라디오 준비 여행 24
본격, 라디오 시작! 30
나와 맞는 플랫폼 찾아 삼만리 38
수입 0원, 불안한 프리랜서의 삶 45
좋아하는 일을 지속하는 힘 51

Part 2 : 내 이름을 건 라디오

첫 번째 찾아온 라디오 DJ 기회 62

아침깨워줄리 첫 방송, On Air 68

앗, 라디오 방송사고! 73

아침을 깨워주기 위한 노력 84

첫 번째 마무리, 두 번째 시작 : 음악 라디오 91

줄리와 함께 아침을, 시작해볼까요? 98

Part 3 : 나의 이야기를 담은 팟캐스트

팟캐스트의 매력에 빠지다 106

하루 만에 구독자 천 명이 늘었다 112

끈질김 뒤에 찾아오는 기회, 새로운 팟캐스트 제안 118

안녕, 나의 팟캐스트 하루 125

나만의 팟캐스트 제작 방법 131

Part 4 : 생생한 소통, 오픈 라디오

오픈 라디오를 들어보셨나요?	136
마음을 주고받는 일대일 라디오	143
5살 어린이부터 90세 어르신까지	148
처음 본 사람과 대화하는 방법	153

Part 5 : N잡러 라디오 크리에이터

직장 때부터 시작한 프리랜서	158
영상 제작 의뢰가 들어왔다	162
크리에이터를 위한 정부 지원 사업 따내기	169
내레이션 성우에 도전하기	178
파이프라인을 늘리기 위한 프리랜서의 노력	183

Part 6 : 매일 On Air, 라디오 스트리밍

냉혹한 유튜브 세계에서 살아남는 법 188

안 풀려도 GO, 약속은 무조건 지키는 DJ 195

실시간이라서 생기는 일 201

앞으로 DJ 줄리의 계획 208

“

해보자,
일에 만족하며 사는 게
행복이라면 해보자.

까짓거 안 되면 1년 동안 하고
다시 직장 다니면 되는 건데,
인생에서 1년 못 쏟아부을까.

”

Part 1 : 본격, 라디오 도전!

5년 차 직장 경력을 포기할 용기

오디오북으로
들어보세요

직장인 중에는 참 퇴사하고 싶다는 사람이 많습니다. 진지하고 피곤한 표정으로 "난 내일이라도 당장 퇴사하고 싶어"라고 말하지만 그런 말을 하는 사람은 아무렇지 않게 내일도 출근하고 1년 뒤에도 출근하더라고요. 만약 퇴사 욕구가 100점이 되어야 거침없이 사직서를 내미는 행동까지 이어질 수 있다면, 다들 50~60점은 있되, 100점까지 차지 않아 사직서를 늘 품 안에 놓고 다닌다는 거죠. 그럴 만도 한 것이, 거침없이 사직서를 내고 나면 그만큼의 거침없는 책임감이 뒤따릅니다. 그 이후, 어떻게 먹고살 것인가에 대한 책임을 당당하게 질 수 있다면 퇴사하는 것 어렵지 않죠.

직장 다녔던 20대 중반에는 그 책임을 지는 게 쉽다고 생각했습니다. 부모님과 살면서 빚도 없이 딱히 돈 들어갈 곳도 없었기 때문에 먹고 사는 일에 큰 걱정이 없었거든요. 게다가 직장을 중소기업부터 시작했으니, 욕심을 부려 더 좋은 직장에 이직하는 도전이 즐겁기도 했습니다.

'나는 더 좋은 직장 다니며 열심히 일할 거야!'

일에도 돈에도 욕심이 많았던 저는 더 좋은 환경의 더 좋은 연봉을 받고 싶어 두세 번의 이직을 했습니다. 마침내 스물일곱에 정착한 직장은 연봉도 복지도 같이 일하는 사람들도 좋았습니다. '완벽해!'를 속으로 외치며 직장에 꽤 만족해하며 성실한 직장인으로 사는 것에 즐거워했죠. 얼마나 즐거워했냐면, 금요일 퇴근길에는 다음날이 출근날이 아니라는 사실에 괜히 아쉽기도 할 정도였습니다. 해야 할 일을 모두 끝마치고 보람을 느끼며 퇴근하는 그 하루하루가 좋았거든요.

그런데 그 만족해하던 회사에 다닌 지 10개월이 되었을 때쯤, 출근하기가 싫어지는 때가 왔습니다. 자신에게 물었습니다. '아니, 벌써? 그렇게 만족해하며 다니던 회사였는데, 도대체 뭐가 문제야!' 사춘기 소녀같이 잽싸게 바뀐 얄미운 마음을 다그쳐보니, 덜컥하고 걸리는 장면 하나가 대답처럼 떠올랐습니다.

연말 평가를 앞두기 전, 일에 있어서는 칼같이 냉정한 상사와 일대일 면담이 있었습니다. 그때 상사는 제게 조용히 이렇게 말했습니다.

"줄리씨는 줄리씨가 하고 싶은 일을 꼭 해야 하는 사람 같아."

처음에는 그 말을 바로 이해하지 못해 물끄러미 상사를 바라보고 있었는데, 상사는 덧붙여 설명했습니다.

"직장인은 회사의 목적에 맞춰 생각하고 일해야 하는데, 줄리씨는 본인이 뭔가를 하고 싶은 게 강한 사람 같아."

그제야 이해했습니다. 회사 입장에서 홍보 콘텐츠를 만들어야 했던 게 제 역할이었는데, 저는 제가 생각한 메시지를 전달하고 싶은 욕구가 강했다는 것이었습니다. 경력이 많은 상사가 보기에 그 방향이 맞지 않아 몇 번의 수정을 지시했고, 그때마다 저는 아이디어를 밀어붙이려고 설득했습니다. 그 모습을 여러 번 마주한 상사가 안 되겠다 싶었는지, 아니면 사실을 인지해주고 싶었는지 단둘이 있을 때 진지하게 말을 꺼낸 것입니다.

상사의 한 마디가 종처럼 머릿속에 울렸습니다. 그리고 깨달았습니다. '나는 내가 하고 싶은 고집을 버리지 못하는 사람이구나.' 직장 다닐 때는 그 고집을 버리고 일했다고 생각했습니다. 주어진 일에 맞춰 할 일을 한다고 생각했는데, 정작 속을 열어보니 그게 아니었던 거죠.

너 자신을 알라! 소크라테스와 같았던 상사의 한 마디는 '직장인으로 살 거면 고집을 꺾고 직장에 맞춰서 일하렴'하고 들렸습니다. 직장은 개인의 뜻대로 일하는 것이 아닌, 사람들이 힘을 모아 같이 일을 해서 좋은 결과를 만들어내야 하는 곳이었습니다. 알고는 있었지만, 그 안에서 고집을 부렸던 자신을 인식하진 못했던 거죠. 제가 한 일이 그대로 진행되면 만족해했고, 수정되어 바뀌거나 없어지면 만족하지 못했습니다. 소크라테스 상사의 말을 들은 이후 고집을 버리고 일하기로 했습니다.

그런데 그럴수록 일이 재미없고, 내가 한 일이 수정되어 바뀌는 과정을 보면서 의욕도 점점 사라졌습니다. 금요일 퇴근길을 아쉬워했던 과거를 떠올리며 스스로 물었습니다.

'직장을 왜 다녔던 거야? 무엇이 좋아서?'

돈 때문이 아닐까. 처음에는 그렇게 생각했는데 따박따박 받는 월급 때문에 다니는 거라면 일에 의욕을 잃을 필요는 없었습니다. 그제야 돈보다 '일의 만족감'이 더 큰 사람이라는 것을 깨달았습니다. 주체적으로 일을 맡아서 에너지를 쏟고, 결과에 만족감을 얻는 사람이었죠. 직장을 다니는 가장 중요한 것을 잃고 나니 두 가지 고민이 들었습니다.

첫째, 좋아하는 일을 찾아 선택해야 할까. 이보다 더 좋은 직장을 기대하긴 힘든데 (야근 없고 복지 좋고 인센티브도 잘 주고 사람들 성격도 좋은) 여기서마저 일의 만족감을 찾지 못해 퇴사를 생각한다면 다른 직장에서도 만족감을 찾을 수 없을 것 같았습니다. 그러니 이직의 선택은 없어졌죠. 지금 이 직장을 계속 다니느냐, 마느냐의 고민이 되었습니다. 계속 다니면 안정적으로 좋긴 한데 의욕 없이 매일 출근해야 하는 현실이 그다지 행복하지 않았습니다. '월급', '인센티브', '복지', '삼시세끼 맛있는 식사', '정 많은 직장동료', '풍부한 간식' 의욕이 떨어질 때면 직장의 장점을 하나씩 떠올리며 자신에게 직장인의 임무를 다하라고 설득했습니다. 그래도 기운이 살아나진 않더라고요. 이대로 살다가는 앞으로의 삶도 행복하지 않겠다 생각이 들어서 '퇴사 욕구 100점'에 가까워지고야 말았습니다.

그리고 다음 고민이 생겼죠. 둘째, 만약 퇴사한다면 5년 차 직장 경력을 버리고 원하는 새로운 일에 도전할 수 있을까. 머릿속이 새하얘졌습니다. 이직이 아니고 새로운 일에 도전하면 다시 신입이 되는 겁니다. 0부터 시작해야 하는 건데, 이 숫자 0을 마주하려면 무지막지한 용기가 필요했습니다. 아무것도 보장되지 않는 0을 과연 마주할 수 있을까. 수입도 0원이 될 수 있고, 아무런 경력도 영 없는 현실에 과감히 도전할 수 있을까 싶었죠. 게다가 현재에 만족하지 않아서 다른 일을 찾는 것이지, 다른 일을 하고 싶어 퇴사하는 게 아니라 더 막막했습니다.

한번은 이 고민을 친구에게 말했더니 친구가 마인드

맵을 해보라며 추천해줬습니다. 내가 좋아하는 것, 잘하는 것을 종이에 써서 접점을 찾아가며 어떤 일을 할지 찾아보라는 겁니다. 유레카! 속으로 외치며 퇴근 후 집에서 혼자 마인드맵을 그려봤습니다.

[내가 잘하는 것]
- 글쓰기와 콘텐츠 창작
- 독특한 아이디어 구상
- 편안한 대화 분위기 조성
- 차분한 목소리로 힘이 나는 말을 해주기
- 꾸준하게 업무를 지속하는 성실성

[내가 하고 싶은 것]
- 콘텐츠 창작 (글쓰기나 소설)
- 라디오 DJ
- 많은 사람에게 힐링을 주는 일
- 잠 못 드는 사람들을 위해 수면 관련 좋은 제품 판매
(나름대로 사업으로 괜찮다고 생각해 도전해보고 싶던 아이디어였습니다)

이렇게 쓰고 계속 정리하니 라디오 DJ가 구체적으로 그려지기 시작했습니다. 어릴 때부터 꿈꿔왔던 라디오 DJ, 그렇지만 현실적으로 불가능했던 일이었습니다. 그

래도 요즘에는 유튜브 크리에이터로 먹고사는 시대가 되었으니 한번 도전할 수 있지 않을까 싶었습니다.

'라디오 DJ, 내가 할 수 있을까?' 질문했지만 아무런 대답이 나오지 않았습니다. 누구도 보장할 수 없는, 잘되기 쉽지 않은 직업이었죠. 일단 종이를 접어뒀습니다. 다음 날, 출근하려고 옷장 문을 여는데, 오늘 직장 가서 할 일을 생각하니 별로 의욕이 들지 않는 겁니다. 그러면서 문득 '라디오 DJ'라는 단어가 떠올랐습니다. '만약 내가 라디오 DJ 일을 하게 된다면?' 그 모습을 그려봤더니, 이런 생각이 들었습니다.

'그 일을 하면, 앞으로의 내 인생이 행복해질 것 같아.'

이 마음이 두 번째 고민에 대한 선택, 새로운 일에 대한 도전을 결정하게 해줬습니다. 직장 경력을 포기하고 새로운 일로 0부터 도전하기까지는 했어도, 퇴사하기까지는 꽤 고민이 많았습니다. 매달 고정적으로 받는 월급에 비해 수입도 보장되지 않는 직업, 여태 잘 쌓아온 길로 가면 점점 잘 되는 직장과 다르게 계속 시간을 쏟아부어도 안 될 수도 있는 직업. 숱한 고민이 들어도 삶의 의욕을 준 라디오 DJ를 선택하기로 했습니다.

'해보자, 일에 만족하며 사는 게 행복이라면 해보자. 까짓거 안 되면 1년 동안 하고 다시 직장 다니면 되는 건데, 인생에서 1년 못 쏟아부을까.'

사직서를 내고 라디오를 하기로 했습니다. 직접 라디

오를 기획하고 대본 쓰고 진행도 하는 라디오 크리에이터가 되기로 했죠. 퇴사하며 직장동료들이 하나같이 '퇴사하면 뭐 할 거냐'고 궁금해했는데, 솔직하게 대답하지 못했습니다. 직장인에서 뜬금없이 라디오 크리에이터, 누가 봐도 추가 질문이 이어질 법한 직업 변경이었죠. 앞으로 행복하게 일하기 위해, 숱한 고민 끝에 내린 결정이니 처음부터 괜한 걱정이나 '그거 어려울걸?', '네가 그걸 한다고?' 기운 빠지게 하는 잔소리를 듣고 싶진 않았습니다.

그렇게 5년 차 직장 경력을 포기하고 새로운 일, 좋아하는 라디오 크리에이터에 도전하기로 했습니다.

새로운 출발을 위한
라디오 준비 여행

출발은 언제나 가슴 두근거리게 하는 단어입니다. 뭔가를 시작할 때 해보지 않은 경험에 대한 흥미와 떨림, 체육대회 달리기 출발선에서 '펑'하고 출발 소리를 들을 때의 긴장감처럼 말이죠. 그렇지만 20대 후반이 되고 나서의 '새 출발'은 조금 다른 의미로 다가왔습니다. 흥미로움과 부담감을 동반하는 알 수 없는 느낌이랄까요. 마냥 아이처럼 들뜨게 되지 않았습니다.

낙천적이었던 20대 초반에는 일단 해보자는 마음으로 뒤를 생각하지 않고 순간의 판단으로 선택했습니다. 그러면서 생각과는 다른 현실에 조금 실망하기도 하고, 너무 이른 판단에 후회하기도 했죠. 그 과정을 겪고 나니 작은 선택에서도 조금 주저하게 되고, 보장되지 않은 것에 쉽게 행동하지 않게 되었습니다.

인생을 마라톤으로 보자면, 선택은 이정표 같았습니다. 쉬지 않고 앞으로만 가는 와중 보이는 이정표로 앞으로 갈 방향을 선택해야 하는 거죠. 한번 선택한 방향 뒤에는 진흙탕이 있을지 꽃길이 있을지는 아무도 모르고요. 잘 선택하면 지름길인데, 잘못 선택하면 꽤 오래 돌아가야 하는 길일 수도 있습니다. 몇 번이고 진흙탕과 둘레길을 걸으며 웬만하면 좋은 길을 선택하자는 마음에 다다릅니다. 그런 의미에서 직장인으로 가던 길에 '라디오 크리에이터' 이정표는 걸음을 잠시 멈추게 했습니다. 저 길은 무슨 길일까. 생각보다 험한 길일까, 생각보다 평탄한 길일까.

그건 아무도 모릅니다. 직접 가봐야 아는 거죠. 새 출발에 주저하고 있을 때, 인생의 시간은 기다려주지 않고 달리기 출발 소리처럼 '펑'하고 소리를 내니 나도 모르게 앞을 향해 움직여졌습니다. 라디오 크리에이터 길로 출발!

퇴사 다음 날, 알람 없이 눈을 뜨고 여유롭게 하루를 보내니 행복했습니다. 그렇게 여유 부리는 건 딱 3~4일 정도 좋았던 것 같습니다. 인생을 계획형으로 사는 스타일이라 아침에 일어나서 오늘 할 일이 없으면 활력을 잃습니다. 책상에 앉아 플래너를 펼치고 오늘의 할 일을 적어도 4~5가지는 적고 하루가 끝날 때까지 모두 해내야 만족했죠.

새롭게 라디오 크리에이터 일을 준비하려고 하니 많은 계획이 필요했습니다. 라디오 이름은 뭐로 할 것인지, 어떻게 라디오를 할 것인지, 어디서 할 것인지를 정해야 했죠. 새 출발에 있어 나와 호흡을 맞추기 위해서 혼자 여행을 떠나는 건 어떨까 싶었습니다. 낯선 공간에 혼자 있다 보면 이전과 다른 새로운 삶을 사는 느낌이 들어서, 그 안에서 앞으로의 계획을 세우면 집중이 잘 될 것 같았습니다. 그렇게 해서 혼자 2박 3일 여행을 떠났습니다. 관광지도 아니고 인적도 드문, 국내의 어느 조용한 곳에서 말이죠. 펜션 외에는 근처에 구경할 곳도 없는 곳이어서 집중하기 좋았습니다.

눈이 다 녹지 않은 2월, 창밖을 보면 얼은 강가와 앙상한 나뭇가지가 보였습니다. 그래도 펜션 안은 난방을 틀어 따듯했습니다. 원목 책상에 앉아 준비해온 노트를 펼쳐 세세하게 라디오를 계획하기로 했습니다. 우선 나의 마음을 탐구할 필요가 있었습니다. 셀프 인터뷰를 하며 라디오에 대한 마음을 노트에 정리했습니다.

Q. 왜 라디오를 하나요?

A. 목소리로 많은 사람에게 좋은 메시지를 주고 싶어서입니다. (진짜입니다)

Q. 어떤 라디오를 하고 싶나요?

A. 자기 전에 걱정 고민을 떨쳐버리고 편안하게 잠들 수 있게 하는 라디오를 하고 싶습니다.

걱정 고민으로 잠이 오지 않는 현대인을 위해 공감해주고 위로해주는 따듯한 라디오를 생각했습니다. 왜냐면 저 또한 가끔 밤에 걱정 고민으로 잠이 안 올 때가 있었거든요. 그럴 때 밤늦게 누구에게 전화할 수 없고, 편안하게 마음을 풀지도 못하니 마음을 털어놓고 위로받을 수 있는 라디오가 있으면 좋겠다 싶었습니다. 그래서 많은 사람이 고민하는 주제를 잡아 라디오 콘텐츠로 만들기로 했죠.

Q. 어디서 라디오를 할 건가요?

A. 유튜브입니다. 그리고 실시간 라디오를 진행할 수 있는 스트리밍 방송 플랫폼에서 평일 매일 2시간씩 진행할 거예요.

팟캐스트처럼 언제든 라디오를 들을 수 있게 유튜브에 라디오 콘텐츠를 녹음해서 올리고, 청취자와 실시간 소통을 할 수 있는 스트리밍 방송 플랫폼을 정해 평일 매일 방송하기로 했습니다. 방송을 한 번도 하지 않은 터라 실시간으로 진행하는 능력이 꼭 필요할 것 같아서 연습 겸 매일 정해진 시간에 라디오를 진행하려 했습니다.

Q. 라디오를 진행할 DJ 이름은 무엇으로 할 것인가요?

A. 흠, 본명은 흔해서 안 되겠고요. 예전에 영어 이름으로 쓰던 '줄리'가 있는데 사람들이 나와 잘 어울리는 이름이라 했으니 DJ 줄리로 해야겠어요.

Q. 그렇다면 유튜브 채널명은 뭐로 하죠?

A. 줄리가 하는 라디오니 줄리의 라디오로 할게요.

활동명을 정할 때 조금 고민을 했습니다. 본명은 한국에서 정말 흔한 이름이라(심지어 동명이인 친구도 있을 정도) 새로운 이름을 지어야 했죠. 뭔가 의미 있는 단어의 줄임말로 할까 하다가 요즘은 뜻있게 무겁게 짓는 것보다는 가볍게 재밌게 짓는 게 많으니 쉽게 가기로 했습니다. 라디오를 하면서 은근 많이 들었던 질문이기도 했죠. "왜 줄리님은 줄리에요?"

줄리는 예전에 영어 학원 다닐 때, 별생각 없이 '줄리'가 떠올라서 지은 이름이었는데 사람들이 저와 '줄리'라는 이름이 잘 어울린다고 했습니다. (본명은 잘 어울린다는 말이 없었는데 말이죠) 거기에 영국 여행을 한 달 다니며 어학원을 잠시 다닌 적이 있었는데 거기서도 쉽게 부르라고 줄리로 소개했더니 어학원에 있던 외국인들도 같은 반응을 보였습니다. "줄리! 잘 어울려!"

그래서 가끔 닉네임으로 쓰던 이름이었습니다. 부르기 편하기도 하고 저와 잘 어울린다는 말이 많았으니 활동명으로 짓는 게 좋을 것 같았죠. (가끔은 단순한 게 더 잘 먹힙니다)

줄리가 하는 라디오니, 채널명은 '줄리의 라디오'로 정했습니다. 이후 유튜브에 어떤 주제를 올릴지, 분량은 얼마나 할 것인지, 방송하는 요일과 시간은 언제로 할 것인지 등을 세부적으로 정하며 구체적인 미래를 그렸습니다. 노트를 덮고 창밖을 바라보며 앞으로의 인생을 바라봤습니다. 과연 내가 생각했던 즐거운 라디오를 할 수 있을까. 그 모습은, 아무것도 모르는 천진난만한 줄리의 모습이었죠.

창밖을 내다보니 어두컴컴한 밤이라 낮에 보이던 호수도 나무도 보이지 않았습니다. 지금 그때의 줄리에게 하고 싶은 한 마디가 있다면 이런 말을 해주고 싶어요. 너, 앞으로 각오해야 할 거야.

본격,
라디오 시작!

라디오를 시작하려면 무엇이 필요할까요. 우선 기본적으로 장비, 컴퓨터와 마이크가 필요합니다. 때마침 2월이 생일이어서 생일선물로 들어온 현금으로 컴퓨터를 샀고, 새로운 직업을 응원한다며 친언니가 생일선물로 마이크를 줬습니다. 이렇게 라디오를 할 기본적인 장비를 갖췄습니다.

이제 본격적으로 라디오 콘텐츠를 만들어야 했습니다. 유튜브에 올릴 라디오를 기획하고 대본을 작성했습니다. 밤에 듣기 좋은 라디오 콘셉트를 생각해, 걱정 고민으로 잠이 안 오는 현대인이 공감할 수 있는 주제를 몇 가지 추려 그에 대한 경험과 나름대로 해줄 수 있는 긍정적인 메시지를 작성해 40분가량의 대본을 썼습니다.

그다음은 녹음할 차례였습니다. 녹음은 생각보다 쉽지 않았습니다. 라디오에서 잘 듣던 DJ의 차분한 멘트처럼 술술 나올 것 같았는데, 현실은 아니었습니다. 직접 쓴 대본이었는데도 읽는데 버벅거려서 몇 번이고 녹음을 다시 해야 했습니다. 이 정도는 괜찮겠지, 하고 녹음한 파일을 들어보면 말하는 속도가 조금 빠르고 뚝딱대는 로봇 같았습니다. 왜 이렇게 어설플까 싶었는데 돌이켜보면 어떻게 말을 해야 잘 들릴지, 목소리를 어떻게 내야 할지도 잘 몰랐었던 것이었습니다.

그래도 첫술에 배부를 수 없으니, 여러 번 녹음해서 가장 좋은 파일을 선택해 편집하기로 했습니다. 라디오 콘텐츠 분위기에 맞는 배경음악을 고르고 화면을 채울 이미지를 선택했습니다. 마지막으로 유튜브를 위해 3개월간 컴퓨터 학원에서 배운 초보 기술로 영상 편집을 했습니다.

드디어 라디오 콘텐츠 완성! 청취자가 밤에 듣기 좋게 영상을 오후 10시에 올라가도록 예약해놓으니 마음이 뿌듯했습니다. 라디오를 듣는 사람들의 반응은 어떨지 생각하니 흥미롭고 가슴이 두근거렸죠. 설렘 반, 설레발 반으로 유튜브에 영상이 올라가자마자 지인들에게 링크를 공유해서 반강제로 듣게 했습니다. “나, 유튜브에 라디오 올렸어.”

나중에 알았지만, 이 행동은 유튜브 채널 운영 중에 가장 하지 말아야 할 행동 중의 하나였습니다. '영상 올리고 지인에게 공유해서 조회 수 채우기' 말이죠. 심성 좋은 지인들은 링크를 타고 영상을 접했으면서도 우연히 라디오를 접한 척 응원 댓글을 남겨줬습니다.

[우와! 듣기 좋은 목소리에요. 저도 이런 주제에 대해 고민했었는데 말이죠]

실시간 방송 플랫폼에서도 근질거리는 입을 참지 못하고 청취자에게 말했습니다. "여러분, 저 유튜브에 라디오 콘텐츠 올렸어요. 줄리의 라디오라고 검색하면 나옵니다." (그래서 한동안 라디오방송에서 청취자들이 유튜브 검색하느라 검색창에 '줄리의'를 쳐도 '줄리의 라디오'가 나오게 되었습니다) 그때 실시간 방송과 라디오 콘텐츠를 들은 청취자의 반응은 꽤 좋았습니다.

[줄리님, 정말 성공할 것 같아요.]

[금방 지상파 라디오 DJ가 되겠는데요?]

믿지 못하시는 분들도 있겠지만 혼자 확대해석한 게 아니라 정말 그렇게 말했습니다. 시작한 지 얼마 안 됐는데도 좋은 말을 들으니 기분이 좋아져 급기야는 희망찬 미래를 기대하기에 이르렀습니다. '이러다 정말 나 금방 잘 되는 거 아니야?'

네, 아니었죠. 매주 2회씩 올렸던 유튜브 콘텐츠는 올릴수록 조회 수가 떨어졌고(지인들도 한번 관심을 주고 이후로는 끊기 시작했습니다), 실시간 방송에서 목소리가 좋다며 응원을 해줬던 청취자는 바쁘다며 못 들어오기 일쑤였습니다. 콘텐츠는 수학 공식과는 정반대의 결과가 나왔습니다. 1+1은 2인 것처럼, 1개월하고 1개월 더하면 나아져야 하는데 결과는 제자리걸음 0이 되거나 더 뒤로 후퇴하는 마이너스가 되기도 했죠.

'어라? 어, 어라?'

라디오를 한 지 2~3개월 만에 씁쓸한 현실을 알게 되었습니다. 열심히 콘텐츠를 만들어도 보는 이는 없고, 꾸준히 업로드만 잘하는 성실한 콘텐츠 제작자일 뿐이었습니다. 처음 시작할 때는 알고리즘을 탄 콘텐츠만 보였는데, 콘텐츠를 만들고 나서는 수면 밑에 어둠 속에 가려진 무수한 콘텐츠 제작자들이 보였습니다.

한편으로는 라디오에 진심인 제 모습에 몇몇 분들은 궁금해하기도 했습니다. "줄리님의 본업은 뭔가요?"라는 질문을 여러 번 받기도 했습니다. 퇴사하고 라디오 크리에이터로 전념하고 있다고 대답하면 바로 부정적인 반응이 이어졌습니다.

[에이, 직장 다니면서 하시지.]

[청취자도 없는데 돈은 어떻게 벌어요?]

현실적인 충고였지만 경험해본 바로는 현실적으로 어려운 일이었습니다. 직장 다닐 때도 라디오를 하고 싶어 퇴근 후에 실시간 방송 플랫폼에서 라디오를 진행해 본 적이 있습니다. 라디오 이름은 '창밖의 라디오'. 라디오를 듣는 곳은 집이지만 창밖을 열면 세상의 다른 사람과 소통할 수 있다는 뜻으로 지은 이름이었죠. 그 라디오를 했을 때 청취자가 5~6명 정도 있었는데 반응을 잘 해줘서 신이 나 3~4시간을 계속했습니다. 다음날도 방송해 달라고 해서 퇴근 후 바로 라디오를 켰죠. 그렇게 연속해서 3~4일을 해보니 목이 쉬었고, 게다가 직장 회식에 야근까지 이어지며 라디오를 꾸준하게 하지 못하는 상황이 겹쳤습니다.

그러니까 과거에 직장 다니면서 라디오를 해본 결과, 규칙적으로 콘텐츠를 할 시간이 나지 않았고, 직장 스트레스 때문에 좋은 컨디션으로 할 체력도 없다는 걸 깨달았습니다. 직장 다니면서 콘텐츠를 하라고 하는 건 누군가에게 맞을 수 있지만 저는 아니었습니다. (땡, 다음 생애에)

유튜브를 시작하기 전, 성공한 유튜버들의 성공 기술 책을 많이 읽어봤습니다. 그중 절반 이상은 직장 다니면서 유튜브를 조금씩 해보고 수익 창출이 되면 전념하라고 조언했습니다. (그중에 본인은 크리에이터에 전념해 성공하기 오래 걸렸으니 독자들은 그렇게 하세요, 하고 조언한 분도 있었고요) 이성적으로 판단하면 그렇지만, 모든 경험이 개개인에게 같을 수는 없고, 같은 결과를 만들 수는 없었습니다. '이렇게 하면 성공합니다'라고 방법을 알려줘도 그대로 해도 안 되는 사람이 있는 것처럼요. 직장 다니면서 유튜브도 해보고 라디오방송도 해봤지만 잘 안 되었고, 본업을 우선으로 했기 때문에 콘텐츠를 꾸준히 지속해서 만들기란 어려웠죠. 어떤 분은 직장 다니면서 취미로 유튜브를 하다 잘 되어서 퇴사하고 유튜브에 전념한 좋은 사례도 있습니다. 하지만 누구나 같은 경우가 되긴 어려운 것처럼, 개인에게 맞는 방법과 시간은 있다고 느꼈습니다. 저는 라디오를 1순위로 집중하고 싶어서 퇴사하고 라디오 크리에이터로 전념한 것이었죠.

이 모든 과정을 설명하기란 어려운데 라디오를 할수록 본업을 물어보는 청취자가 계속해서 생겼습니다. 그래서 나름 방법 하나를 고안했습니다. '비밀'. 비밀이라고 대답하면 꼬리처럼 질문이 따라오지 않았습니다. 이뿐만 아니라 청취자가 적은 실시간 라디오를 할 때는 적잖은 어려움이 있었습니다. 인기가 없는 크리에이터가 견뎌내야 하는 마음에는 두 가지가 있습니다.

첫 번째는 인내심입니다. 가장 중요합니다. 방송이 오늘 안 풀리고, 내일 안 풀리고, 한 달 뒤에도 안 풀리고, 석 달 뒤에도 안 풀려도 괜찮아야 합니다. 처음에 그게 괜찮지 않아서 방송이 끝나고 스트레스를 받아 야식 먹은 적이 여러 번 있었습니다. (유튜브를 보면 얼굴이 쪘다가 빠졌다 한 것도 그 이유 때문입니다, 큼큼) 또한, 인내심을 갖고 늘 좋은 마음으로 여러 조롱에도 굴하지 않고 견뎌내야 합니다.

[줄리님은 안 되는 방송 왜 계속하세요?]

[저는 취미로 방송하는데 줄리님보다 시청자가 많네요?]

거슬리는 말이 있었지만 대수롭지 않게 넘겨야 했습니다. 방송 초반에는 청취자의 메시지 하나마다 답변하고 생각과 의견을 진지하게 대답했는데 그럴수록 방송 분위기는 가라앉았습니다. 직장 다니면서 라디오를 했으면 더 마음의 여유가 없었을 것 같습니다. '내가 왜 이런 말을 들으면서 계속해야 하지?' 청취자가 의도하든 의도하지 않든 내게 상처가 되는 말을 들을 때는 인내하지 못하고 좋아하는 일을 포기해버릴 수 있거든요. 그렇지만 직장인의 많은 것을 내려두고 새로 결심한 만큼 중도 포기는 있을 수 없었습니다. '그래, 눈이 내려도 비가 내려도 계속 앞만 보고 가는 거야.' 그렇게 인내심을 길렀습니다.

인기 없는 창작자가 견뎌내야 하는 마음 두 번째는 성실함입니다. 누가 시키지 않아도 나와 약속을 꾸준하게 이행하는 마음가짐이 필요하죠. 어떤 플랫폼이든 콘텐츠는 주기적으로 올려야 구독자가 늘기 마련이었습니다. 그래서 처음에는 청취자 수가 적어도 약속한 대로 꾸준히 했습니다. (어떤 때에는 2명만 있을 때도 있었습니다. 저까지 3명이죠) 그렇게 꼬박 쉬지 않고 근 3년 동안 매일 하니 제게 좋은 열매들이 피기 시작했습니다.

진심으로 응원해주는 청취자가 생겼고, 콘텐츠 만드는 실력이 점점 나아졌으며, 점차 안정된 목소리 톤으로 라디오를 진행할 수 있게 되었고, 새로운 일 제안들이 들어와 계약을 맺고, 돈도 벌었습니다. 어떤 작은 행동이든 허투루 쓰이지 않는 것이 없었습니다.

'방송 잘 안 되는데 그냥 다시 직장 다니세요'와 같은 후려치는 한 마디에 휘둘렸다면 어떻게 되었을까요. 부정적인 말은 한 귀로 흘려듣고 나를 믿고 굳세게 약속을 지키길 잘했다는 생각이 듭니다. 물론 마음이 약해져 흔들릴 때도 많았습니다.

방송 초반에 너무 맘처럼 일이 안 풀려서 '내년에도 이 일을 계속할 수 있을까'하는 의구심이 든 적이 있었습니다. 그 순간 나와 한 약속을 지키지 못하고 흔들리는 모습에 실망하게 되더라고요. 앞날은 나도 모르고 아무도 모르는 일인데 내가 흔들리면 어떻게 나를 믿고 갈 수 있을까 싶었습니다. 실망하고 토라진 제 마음을 달래며 앞으로는 그런 생각은 잠깐도 하지 않기로 했습니다.

그 이후 자리를 굳게 지키며 바람에도 휘청이지 않는 뿌리 깊은 나무가 되기로 했습니다. 그리고 앞으로는 더 깊은 뿌리를 내리려고 합니다. 약한 솔솔바람에 흔들렸던 지난날을 경험 삼아, 앞으로 더 거세게 올 태풍에도 흔들리지 않으려고 깊이 뿌리 내릴 것입니다.

나와 맞는 플랫폼 찾아 삼만리

일을 잘하려면 어떻게 해야 하나요? 누가 묻는다면 성공한 사람은 이렇게 대답할지도 모릅니다. "선택과 집중을 잘하세요." 좋은 말입니다, 선택과 집중. 효율적으로 좋은 결과를 얻으려면 좋은 선택을 하고 그 선택한 것에 집중해서 에너지를 쏟으면 되겠죠. 그렇지만 경험이 많지 않은 사람에겐 어떤 선택이 좋은지 그 판단이 잘 서지 않습니다. 여러 상자 중에 어떤 걸 선택하는 게 좋을지. 처음 보는 상자에 첫 선택이라면 누구라도 주저할 수밖에 없습니다. 아무것도 모르는 상태에서는 좋은 선택이란 없거든요. (운 좋게 얻어걸리면 또 모를까) 그때 가장 빠른 방법은 하나씩 다 열어보는 겁니다. 열어보고 나서 잘 맞는 걸 선택하면 내게 맞는 선택을 할 수 있겠죠.

처음에 제가 선택한 두 가지는 '유튜브'와 '스푼 라디오'였습니다. 요즘에 개인 SNS처럼 모두가 하는 유튜브는 꼭 선택해야 하는 플랫폼이었고, 그 외에 실시간으로 이용자들과 소통할 수 있는 플랫폼을 하나 더 하려고 선택한 게 스푼 라디오였습니다. 스푼 라디오는 생긴 지 얼마 안 되어 인기를 끈 오디오 플랫폼으로, 스마트폰으로 쉽게 실시간 라디오 방송을 할 수 있었습니다. 또한, 오디오 플랫폼이기 때문에 자기가 원하는 사진을 걸어두고 (본인 얼굴 사진이나 감성적인 이미지) DJ의 멘트와 청취자의 메시지로 소통하는 방송이었습니다. 목소리만 실시간으로 들을 수 있는 게, 꽤 라디오 감성을 담고 있었습니다. 평일 밤 라디오를 켜고 청취자와 소통했습니다. 청취자의 고민을 풀어주고, 재밌는 게임도 하면서 즐겁게 시간을 보냈지만, 라디오를 오래 할 수 없었습니다. 라디오를 한 지 4개월 정도 되었을 때 점점 이용자가 절반가량으로 줄었기 때문이었습니다. 알고 보니 비슷한 오디오 플랫폼이 두세 개가 생기고서 이용자들이 이동하여 흩어진 것이었습니다. 매일 라디오를 잘하려고 해도 접속하는 이용자가 없어 진행되지 않았습니다. 이래도 되나 싶을 때, 한 청취자가 제게 제안했습니다.

[줄리님도 다른 방송 플랫폼으로 가셔야 할 것 같아요.]

그때 청취자가 첫 번째로 추천해줬던 플랫폼은 '트위

치'였습니다. 게임 방송으로 인기가 많아진 플랫폼인데 소통방송도 꽤 하고 있으니 저와 잘 맞을 것 같다는 의견을 줬습니다. 움직여야겠다는 생각이 들면 바로 실행하는 편이라 바로 계정을 만들고 방송 콘텐츠를 둘러봤습니다. 게임과 애니메이션을 좋아하는 사람들이 모여있는 플랫폼같이 느껴졌는데, 그중 종종 소통방송도 조금씩 보여 라디오를 해봐도 괜찮을 것 같았죠. 트위치에서 약 2주간 매일 라디오 방송을 해봤는데, 역시나 게임과 애니메이션 위주 콘텐츠를 좋아하는 이용자가 많아서인지 소통방송만 하는 콘텐츠는 인기가 없어 들어오는 청취자가 적었습니다. 그나마 우연히 들어오는 청취자는 트위치의 단점과 이용자들의 안 좋은 성격을 말해주곤 했습니다. (도망가라는 뜻이었을까요, 그저 뒷담화였을까요) 그래서 두 번째로 다른 방송 플랫폼을 찾아 나서기로 했습니다.

2010년부터 급부상한 실시간 방송 플랫폼 '아프리카TV'가 있었습니다. 한때 〈마이 리틀 텔레비전〉이라는 프로그램도 나올 정도로 아프리카TV의 인지도는 대중적이었고, 오랫동안 성장해온 플랫폼이라 이용자들이 꽤 많았습니다. 게다가 가입하고 방송을 하기에도 쉬워서 앞서 말한 직장 다닐 때 잠깐 했었던 '창밖의 라디오'도 아프리카TV에서 했었습니다. 그때 만들었던 계정이 있어서 오랜만에 아프리카TV에 접속해서 방송 콘텐츠를 둘러봤습니다. 아프리카TV 플랫폼 메인에는 게임과 19금 노출 방송 위주였습니다. 이곳에서 과연 감성적인 라디오가 잘 될까 싶었는데, 둘러보니 카테고리에 [더빙/라디오]가 있었습니다. DJ의 목소리만 나오는 라디오를 듣고 메시지로 실시간 소통하는 마니아층이 있었습니다.

의심 반, 기대 반으로 아프리카TV를 시작했는데 신입 크리에이터를 반기는 분위기로 응원해주는 청취자가 조금 있었습니다. [줄리님, 여기 라디오 좋아하는 층이 있어요, 오래 잘하시면 잘 될 겁니다.]

그렇게 시작한 아프리카TV에서 라디오 방송과 보이는 라디오 방송을 번갈아 해보면서 (라디오 분위기를 좋아하는 팬층과 보이는 라디오를 좋아하는 팬층이 반반이었습니다) 나름의 팬층도 쌓고, 경험도 많이 쌓게 됐습니다. 쉬지 않고 라디오하며 지치는 날도 많았습니다. 열심히 하면서 플랫폼 메인에 뜰 때는 인기가 확 생기기도 했다가 며칠 지나면 반응이 사그라들고를 반복하면서 이른바 '굴곡'을 겪으며 했습니다. (어떤 날에는 1,000명이 들어오고 어떤 날에는 20명이 들어오고요) 힘들었던 건, 계속 방송해도 늘지 않는 시청자 수였습니다.

자주 오는 청취자가 있었으나 어떤 날에는 바빠서 못 오면 그 자리가 텅 비었습니다. 한번은 다르게 시도를 해보고자 기존에 하던 라디오 외에 여러 가지를 시도해봤습니다. 게임 방송, 그림 방송, 취미 방송, 시청자 노래

방송, 리액션 대결 대회까지 나가봤죠. (1차에서 처참히 탈락했지만요) 그래도 결국 제게 제일 잘 맞고 하고 싶은 라디오로 돌아오게 되더라고요. 그리고 청취자들도 그걸 원했습니다.

라디오를 좋아하는 청취자는 제 목소리와 소통하는 방식이 좋다며 엄지를 치켜들었습니다. 고정 청취자뿐만 아니라 새로 라디오를 듣는 청취자도 목소리에 대한 칭찬을 많이 해줬죠. 라디오 하며 가장 많이 들었던 말이었습니다.

[줄리님, 목소리 진짜 좋네요.]

그리고 조금만 더 하면 라디오가 잘 될 것이라는 말도 많았습니다.

[줄리님, 고정 청취자가 한 300명 정도 있으면 그다음부터는 진짜 대박 날 겁니다. 장담해요!]

모두 좋은 응원을 해줬지만 그들의 예상대로 조금만 더 해도 자리는 늘 제자리였습니다. 청취자가 늘지 않는 이유에 대해서는 어느 정도 알고 있었습니다. 애초에 플랫폼에 라디오 청취자가 많지 않다는 걸 알고 시작한 것도 있지만 반말, 욕, 비난, 비방 없이 존중하는 대화 분위기(마치 EBS 교양 방송을 불방케 하는)를 추구하는 제 라디오는 플랫폼 성격과 그리 맞진 않다는 것을요. 그러니 대다수가 목소리 칭찬만 하고 나가기 일쑤였죠.

소수의 청취자는 라디오 분위기가 깔끔하고 차분해서

좋아했습니다. 정말 딱 맞는 방송을 찾았다며 좋아하는 청취자를 볼 때는 사막에서 오아시스를 찾은 듯 기뻤죠. 그렇게 한동안 아프리카TV에서 라디오를 오래 했는데, 또 한 번 플랫폼이 정체되는 시기가 나타났습니다. 플랫폼 이용자들이 유튜브 스트리밍으로 대거 이동해서 이용자가 줄기 시작한 것입니다. (다들 어딜 그리 가세요)

크리에이터는 대중을 쫓아야 하니, 트렌드를 따라 이동하는 추세에 맞게 발 빠르게 움직이기로 했습니다. 그래서 지금까지 유튜브로 매주 실시간 라디오를 진행하고 있습니다. 채널 구독자도 좋아하고, 우연히 알고리즘으로 알게 된 청취자도 같이 즐길 수 있어 더 좋았죠.

어떤 선택을 할지 고민하는 제 앞에 여러 플랫폼의 상자가 놓여있었습니다. 열어서 직접 경험하지 않으면 맞는지 안 맞는지 알 수 없어 하나씩 다 도전해봤습니다. 많은 플랫폼을 직접 경험해보니 실시간 방송 플랫폼에 대한 이해도 생기고 다양한 유형의 청취자와 만나며 여러 경험과 실력을 쌓게 되었습니다. 어떤 음식은 누군가에게 매워서 못 먹는 음식이 되지만, 누군가에게는 중독될 만큼 맛있게 먹을 수 있는 음식이 되기도 합니다. 그것이 나와 맞는지는 직접 맛보고, 느껴봐야 알지 않을까 싶습니다. 그리고 후회하지 않을 만큼 다 해봐야 미련 없이 다른 선택을 하고 그 선택에 집중할 수 있게 되고요.

한 번 선택했으면 집중해서 에너지를 쏟으면 되는 겁니다. 그것이 제가 깨달은 '선택과 집중'이었습니다.

수입 0원,
불안한 프리랜서의 삶

프리랜서를 하려면 필요한 자질이 몇 가지 있습니다. 정해진 마감 기한을 지키는 시간 관리 능력과 책임감, 스스로 일을 찾아서 적극적으로 돈을 벌려는 마음가짐 그리고 불규칙하고 불안한 수입에도 버틸 수 있는 끈기가 필요합니다. 시간 관리 능력과 책임감이 있고, 스스로 일을 찾아서 해보려는 적극성도 있는 편이지만, 프리랜서 초반에는 불규칙한 수입에 불안을 참기가 쉽지 않았습니다.

매달 고정적인 월급을 받았던 직장인 시절에는 어떻게 연봉을 올릴지, 보너스나 상여금으로는 무엇을 할지만 고민했는데 프리랜서가 되고 나니, 이번 달 그리고 다음 달은 어떻게 돈을 벌어야 할지를 고민해야 했습니다.

자리가 잘 잡히고 나서는 매달 수입 편차가 크지 않았지만, 프리랜서를 시작하고 8개월까지는 제대로 된 수입이 없어 라디오로 버는 돈은 없는 날이 많았습니다. 초반에 어떻게 그 불안함을 이겨냈는지 시행착오 이야기를 들려드릴게요.

프리랜서가 되고 첫 달의 마음가짐은 이러했습니다. '그간 직장생활로 벌어둔 두둑한 돈이 있으니 수입이 변변치 않아도 절대 굴하지 않고, 시간과 노력을 투자해서 콘텐츠에만 집중하자.' 이 마음가짐은 얼마나 갔을까요. 정확히 두 달까지는 라디오로 돈을 못 벌어도 아무렇지 않고 콘텐츠를 만들고 라디오 방송하는 시간을 즐겼습니다. 그리고 석 달이 되었을 때, 아무런 수입 없이 하루를 마무리하고 침대에 누웠는데 문득 생각이 들었습니다. '나, 이대로 이렇게 살아도 괜찮을까?'

벌어놓은 돈이 있어도 매달 공과금이나 생활비로 조금씩 통장의 돈이 줄어들고 있는데, 이 통장의 숫자가 좀처럼 줄지만 하고 늘진 않으니 괜히 걱정되었습니다. 두 달까지는 즐겁게 프리랜서로 살았는데, 앞으로도 이렇게 살면 즐거운 거지가 될 것 같았습니다. 괜히 마음 한구석에 스멀스멀 지렁이처럼 불안함이 꿈틀거리기 시작한 것이 순식간에 몸집이 커지며 생각을 지배하기 시작했습니다. 쉽사리 잠들지 못하고 머릿속으로 앞날에 대해 걱정했죠. '프리랜서 수입, 이대로 괜찮나?'에 대한 주제로 혼자 100분 토론을 진행했습니다.

그때 했던 일은 '유튜브 채널 운영'과 '실시간 라디오 방송'이었습니다. 유튜브는 콘텐츠를 올려도 수익 창출 기준이 안 되어서 수입이 없었고, 실시간 방송에서는 후원을 받을 수 있었지만 어수룩해서 받는 방법도 모르고 해주는 사람도 없어서 마찬가지로 수입이 안 되었습니다. 그럼 당장 돈이 되는 다른 방법으로라도 일을 해야 할 것 같아서 자리를 찾아봤습니다. 어느새 정신 차려보니 아르바이트 사이트에서 공고를 보고 있는 저를 발견하게 되었습니다. 때마침 사는 곳 근처에서 약국 보조 업무를 할 사람을 구하는 공고를 발견했습니다. 주 5회, 오전 10시부터 6시까지 근무하는 조건이었는데 시간대가 잘 맞아 일할지 말지 고민했습니다. 프리랜서로 시작하면서 규칙적으로 정해놓은 일정이 있는데, 그것을 하면서 아르바이트도 같이 할 수 있는 여건이 될까, 고민이 되었습니다. 그래도 불안을 잠재우기 위해 잠도 줄이고 하루 열심히 살면서 두 마리 토끼를 다 잡아보기로 했습니다. '그래, 일하면서 라디오도 해보자.'

2~3일 정도 고민한 끝에 결정을 내리자마자 공고에 올라온 번호로 문자메시지를 보냈습니다.

[아르바이트 공고를 보고 연락드립니다. 자리 구했나요?]

[네, 약국 보조 업무 경험이 있나요?]

[아니요, 처음입니다.]

바로 답장이 왔습니다. 기대하면서 핸드폰을 열어봤습니다. (그 짧은 시간에 약국에서 일하는 제 모습을 상상하기도 하고요)

[죄송합니다, 저희는 약국 경력이 있으신 분을 구합니다.]

2~3일간 고민한 질문이 5분 만에 정리가 되었습니다. 어차피 안 될 자리였는데 왜 그렇게 고민했던 걸까요. 허탈하기도 하고 무슨 생각을 한 건가 싶기도 했습니다. 그리고 바로 마음을 다잡게 되었습니다. 잠시의 불안으로 다른 쪽으로 눈을 돌렸는데 더 정신 차리고 일하라는 뜻이구나 싶었습니다.

이후 정해놓은 대로 매일 방송하고 콘텐츠를 만들었습니다. 그렇게 점점 더 라디오 업무에 집중하니 보이지 않던 것이 보이게 되고, 좋은 기회도 찾아왔습니다. 가끔 라디오에서 청취자가 이런 질문을 합니다.

[줄리님은 안 풀리던 때에 어떻게 이겨내셨나요?]

그 질문을 받으면 초반에 매일 불안에 휘청거리던 때가 생각납니다. 내 뜻대로 계획대로 풀리는 게 하나 없고 현실은 냉정한데 욕심만 저만치 앞서 있어서 잘 되는 사람만 눈에 보일 때, 내가 못 하는 건가 자괴감과 의심이 들었습니다. 그래서 시간이 남을 때마다 좋아하는 음악을 들으며 쉬지 않고 걷고 또 걸었습니다. 하루 업무를 마치고 조용히 밤 산책을 한두 시간 할 때도 있고, 마음이 꽉 막힐 때는 낮에 푸른 나무를 보며 등산하기도 했고요. 그때 자주 들었던 위안이 되는 음악이 있었습니다.

베란다 프로젝트의 「괜찮아」

봄여름가을겨울의 「브라보 마이 라이프」

이 두 곡을 꽤 많이 들었습니다. 잘 풀리지 않는 힘든 시기에 힘을 주는 내용의 노래였거든요. 음악으로 '잘 될 거야'하고 위로를 받고, 산책하며 자신을 위로하면서 불안했던 시기를 이겨냈습니다. 그 시기를 넘기니 나와 똑같은 상황에 있던 많은 사람의 이야기가 보였습니다. 누구나 겪는 성장통이라 생각하니 위안이 되었습니다. 또한 편으로는 오기도 생겼죠. '힘들어도 이겨낸 사람이 있는데, 나라고는 왜 못 해?'

팟캐스트에 라디오 크리에이터 시행착오 이야기를 한 것도 이 이유였습니다. 잘되지 않아도 포기하지 않고 꾸준이 해나가는 이야기를 들으면서 좋아하는 일에 도전한 다른 누군가도 'DJ 줄리도 힘들어도 계속하는데 나라고는 왜 못 해?'하는 마음으로 힘든 시기를 이겨냈으면 했거든요. 이 글을 읽는 독자들도 마찬가지고요.

수입이 0원이어도, 청취자가 1명이어도 꾸꾸하게 그다음을 해나갔습니다. 프리랜서의 자질, '불규칙하고 불안한 수입에도 버틸 수 있는 끈기'는 인내심과 지속력도 단단하게 만들어주기도 했습니다. 그런데도 앞으로 나갈 수 있는 추진력까지도요.

놀이동산은 공간이 꽤 넓습니다. 그래서 입구까지 가는데도 셔틀버스를 타야 하고 입장권 끊고 들어가서 놀이기구를 타는 데까지 한참을 걸어야 하죠. 계속 앞으로 가봐야만 재밌는 놀이기구를 탈 수 있고, 긴 줄을 기다리고 인내해야 내 차례가 돌아오는 것이, 프리랜서의 초반 시기와 같습니다. 그 과정이 길게 느껴져도 포기하지 않고 앞으로 가면 더 즐겁고 좋은 일들이 기다리고 있다는 걸 알면, 힘든 시기를 버틸 수 있는 에너지가 생기지 않을까요.

좋아하는 일을 지속하는 힘

오디오북으로
들어보세요

누구나 하고 싶은 일, 좋아하는 일이 있을 수 있습니다. 그럼에도 좋아하는 일에 도전하기는 쉽지 않습니다. 좋아는 하지만 그 일을 잘 해낼 수 있을지, 꾸준히 직업으로 먹고살 만한 돈을 벌 수 있을지, 자신의 '미래 가능성'에 대한 점검을 계속하게 되기 때문이죠.

열정과 호기심으로 주저하지 않고 행동했던 20대를 넘어서면서, 조금씩 새로운 도전에 주저하게 됐습니다. 섣불리 판단했다가 실패한 적도 있고 후회한 적도 있으니까요. 유명인이 아니고서야 일반인이 라디오를 진행하는 DJ가 되겠다는 건 쉽지 않은 선택이었습니다. 라디오를 기획하고, 대본을 쓰고, 진행하기도 쉽지 않을뿐더러 유명인이 아닌데 누가 그 라디오를 들을지도 미지수였죠.

미래가 불안정하니 부모님께 직장을 그만두고 새로운 일을 시작하겠다고 말하지도 못했습니다.

안정적인 직장을 그만두고 미래가 보장되지 않는, 게다가 '그걸 네가 왜 해?'라는 질문이 생길만한 직업을 하겠다고 하니 좋게 받아들여지지 않을 것 같았죠. 더군다나 인터넷과 친하지 않은 부모님이 온라인으로 라디오를 진행하고 오디오 콘텐츠 만드는 일을 이해하지 못할 것도 같았고요. 제가 부모라도 자식이 잘 다니던 직장을 그만두고 듣도 보도 못한 직업으로 전향하겠다고 하면 말릴 것 같았습니다. (잠시 상상해봤습니다)

"자리에 앉아봐, 잠시 숨을 고르고 우리 잘 생각해보자, 과연 그 직업을 하면 앞으로 꾸준히 돈을 벌 수 있겠니?"

"엄마, 저를 믿어보세요. 우선 유튜브로 라디오 콘텐츠를 올리고요, 라디오 방송도 하면서 돈을 벌어 볼게요."

"그게…가능하니?"

"네, 가능해요."

"아직 세상을 그리 모르다니, 내 눈에 흙이 들어가기 전까지 안 돼!" (요즘 드라마에선 흙 말고 뭐를 쓰나요?)

이렇게 매정한 엄마는 안 되겠지만 제가 부모라도 조금은 받아들이기 힘든 선택일 것 같았습니다. 그래서 자리를 잡을 때까지 직장을 다니는 척을 하기로 했습니다.

부모님은 어릴 때부터 어떤 선택을 하든 늘 존중해주

고 믿어주면서 멀리서 지켜보는 이른바 '자유 방목형' 스타일이었습니다. 그래서 직장 다니는 척을 해도 쉽게 들키진 않았죠. 딱 한 번, 위험한 순간은 있었습니다.

"줄리야, 너도 월요일에 쉬지?"

갑작스러운 아빠의 질문에 순간 당황했습니다. 왜 갑자기 월요일에 쉬냐고 질문하는 걸까, 순간 옆에 있는 달력을 쓱 살펴보니 다음 주 월요일이 빨간 숫자로 적혀있고 그 아래 조그맣게 '근로자의 날'이라고 표시되어 있었습니다. 아차, 직장 다닐 때는 무조건 달력에 동그라미를 쳐놓는 날인데 직장을 그만두니 쉬는 날이라는 걸 모른 것이었습니다.

"아, 어! 당연히 쉬지!"

어색한 대답이었지만 아빠는 크게 눈치를 채지 못했던 것 같습니다. 그리고 엄마는 가끔 의미심장한 질문을 느닷없이 던졌습니다.

"줄리는 직장 잘 다녀? 요즘은 걱정 없어?"

엄마와 대화를 잘하던 제가 어느 순간부터 직장 이야기를 안 하기 시작하니 티가 날 만도 했습니다. 아무렇지 않은 척 대답했지만, 나중에 알고 보니 엄마는 그늘진 제 표정을 보고 질문한 거라고 했습니다. (라디오가 뜻대로 잘 안 풀리니 표정이 안 좋을 만도 했죠.)

그렇게 몇 개월간을 직장인인 척 신분 위조를 하고 다니다 정식적으로 계약을 하고 고정적인 라디오 DJ 일을 하게 되었을 때 사실을 털어놨습니다. 두 분의 반응은 역시나 '자유 방목형' 스타일답게 저의 선택을 받아들이고 바로 존중해줬습니다. 먼저 엄마의 반응은 이러했습니다.

"어…! 어쩐지 회사를 안 다니는 것 같더라. 라디오 DJ? 그러면 집에서 일하는 거야? 일만 잘되면 계속할 수 있는 직업이니 좋네. 집에서 밥해 먹어야 하는데 반찬은 좀 있니?"

걱정보다는 바로 받아들이고 좋은 선택이라고 존중해 주시니 마음이 편해졌습니다. 워낙 혼자서도 잘하는 스타일이라 믿고 맡겨주시는 것 같았죠. 그래도 내심 한번은 라디오 들으시면 좋을 텐데, 한 번도 궁금해하지 않아 슬쩍 한번 물어봤습니다.

"엄마는 왜 내 라디오 궁금해하지 않아? 왜 안 들어봐?"

"응, 줄리를 믿으니까. 알아서 잘하겠지, 하고."

엄마는 지긋이 저를 쳐다보며 웃었습니다. 어떤 간섭 없이 든든하게 믿고 지켜봐 주는 일, 제겐 가장 듬직한 응원이었습니다. 좋아하는 일을 선택한 책임과 그 과정의 경험을 고스란히 느껴볼 수 있게 해준 엄마의 믿음 덕분에, 저는 많은 경험을 하게 됐습니다.

새로운 일을 시작할 때는 두근거렸고, 콘텐츠를 기획하고 진행하며 재밌었고, 미숙한 방송 경험과 기술에 익숙해지기까지 열정을 다했고, 뜻대로 되지 않은 결과에 실망도 하며, 능력에 회의감과 의심이 들면서 자책하기도 했고, 남들과의 비교에 심술도 나면서 한편으로는 외롭기도 했습니다.

저뿐만 아니라 일하는 모든 분, 프리랜서를 하는 분이라면 경험할 수도 있는 감정이라 생각합니다. 가볍고 좋은 감정도, 무겁고 슬픈 감정도 들기 마련인데, 그 모든 것을 경험하고도 평화롭게 유지하려면 감정을 견디는 근육이 있어야 한다고 생각합니다.

저는 그 근육을 가족과 지인 그리고 청취자를 통해 만들었습니다. 만족하지 못한 결과에 회의감이 들 때, 나를 믿어줬던 사람의 말을 기억하면 힘이 났습니다. 퇴사하고 라디오 크리에이터를 한다고 했을 때 아빠는 제게 이런 반응을 보였습니다.

"오, 그런 게 있어? 인터넷으로 뭐, 어떻게 하는 거야?"

"응, 인터넷으로 콘텐츠도 만들고, 라디오도 진행하고."

"그렇구나. 너는 그 일이 좋니?"

"어, 좋아. 내가 좋아서 하는 일이고, 앞으로 더 잘 해내고 싶고."

"그럼! 사람이 좋아하는 일 해야지. 열심히 해 봐!"

인터넷과 더욱 거리가 먼 아빠가 직업을 이해하지 못할 거라 예상했는데, 예상외로 아빠는 그 일의 가능성이

나 직업으로서의 가치를 판단하기보다 '좋아하는 일'인지를 두어 번 묻고 제 선택을 존중해줬습니다. (역시나 아빠도 제 라디오를 한 번도 듣지 않았지만요. 쿨한 부모님) 그렇게 가족과 주변 지인 그리고 청취자의 격려로 좋아하는 일에 에너지를 듬뿍 가지고 일할 수 있었습니다.

이렇게 마무리하면 늘 해피엔딩으로 끝나는 동화 같죠. '그렇게 행복하게 살았답니다'라는 동화 마무리에는 '행복이 오래가지 않고 금방 또 힘든 시기가 찾아왔습니다'라는 내용이 숨겨져 있을 수 있습니다. 나를 응원하는 주변 사람들이 있어도, 그런데도 또 힘든 상황은 찾아오고 인내심의 한계를 느끼게 되는 순간이 옵니다. 두어 번의 시련을 딛고 이겨낸 뒤에는 '그래, 나는 감정 근육이 있는 튼튼한 사람이야! 하하하!'하고 웃을 수 있지만, 또 다른 형태의 시련이 찾아오면 다시 픽하고 쓰러질 수 있는 게 사람이었습니다.

라디오 크리에이터 초반에는 모든 것이 다 잘되지 않으니 생활도 일도 버텨야 하는 순간이 많았습니다. 부모님과 가족의 믿음, 친구와 청취자의 응원을 받으며 일해도 프로젝트에서 떨어지고, 청취자는 늘지 않고, 꾸준히 만든 콘텐츠에 냉담한 반응이 이어지면 어디서 기운을 얻어야 할지 모른 채 축 처지게 됩니다.

그날도 어김없이 일과를 모두 끝내고 피곤한 채로 잠자리에 들려다 힘든 감정이 쌓여 털어내려고 일기를 썼습니다. 제대로 기억이 나지 않지만 과거의 저는 아마 '오늘도 할 일을 모두 마쳤다. 라디오가 잘되지 않는다' 라는 식의 일기를 썼을 겁니다. 평소에는 일기 쓰고 나면 감정이 조금 가벼워지는 편인데 그날은 피로한 감정이 오래 쌓였었는지 다 쓰고도 딱히 감정이 가벼워지지 않았습니다. 잠이나 자자 싶어 일기장을 닫았는데, 일기장에 껴놨던 엽서 하나가 떨어졌습니다. 엽서를 주워 내용을 보니 1월 1일에 쓴 '미래의 나에게 쓰는 편지'였습니다.

퇴사할 때 라디오 하며 사는 인생은 행복할 것으로 생각한 천진난만한 과거의 내가 쓴 편지였죠. 길지 않은 내용의 편지에는 이런 글이 적혀있었습니다.

[To. 미래의 나에게

줄리야, 좋아하는 라디오 잘하고 있니? 나는 다음 달에 혼자 여행하며 어떻게 라디오를 할지 준비할 거야. 유튜브도 하고 방송도 하고. 과연 1년 뒤의 나는 어떻게 되어 있을까? 지금은 라디오 할 생각에 신나! 되게 재밌을 것 같아. 1년 동안 약속한 대로 열심히 하자! 힘내자.]

좋아하는 일에 설렘을 갖고 시작하던 과거의 나를 마주하니, 애틋하기도 하고 슬프기도 했습니다. (과거의 나는 좋은 결과가 있을 것으로 생각했을 텐데, 그걸 해주지 못한 현재의 내가 미안하기도 한, 마치 부모와 자식 간의 느낌도 났고요.)

도저히 이겨낼 수 없는 상황에는 때론 과거의 내가 기운을 주기도 합니다. 초심, 처음의 마음을 되새기며 그때의 약속을 지키기 위해 노력하고 싶은 에너지가 생기죠. 그래서 그날 힘들고 지칠 때 과거를 마주하고 다음 날 기운을 얻었습니다. 그 편지를 쓰던 마음을 그대로 지켜주고 싶었거든요. (과거의 내가 자식 같다더니 이번에는 연인 같기도 한가 봐요. 박력 있네요) 라디오 할 생각에 신나던 과거의 마음이 상하지 않고 반짝반짝 빛나던 그 모습으로, 언제든 기억을 꺼내도 웃을 수 있는 상태로 만들어놓고 싶었습니다.

운동을 바짝 열심히 할 때는 몸에 근육이 잘 붙지만, 한동안 운동하지 않고 움직이지 않으면 근육이 점차 사라집니다. 좋아하는 일을 지속하는 힘도 마찬가지였습니다. 누군가의 응원으로 힘이 날 수 있지만, 지속하기 위해선 한 곳이 아닌 여러 곳에서 그 힘을 얻어야 했죠. 그 힘은 누군가의 음성과 메시지에서 얻을 수 있고, 우연히 깨달은 경험에서 얻을 수 있고, 저처럼 과거의 내가 쓴 편지에서 얻을 수도 있습니다.

인생을 흔히 마라톤에 많이 비유하지만 저는 인생이 장애물이 많은 마라톤으로 보입니다. 평지를 오래 뛰어서 가는 게 아니라 갑자기 내리는 소나기에 달리기 힘들 때도 있고, 허리까지 오는 허들을 뛰어넘어야 할 때도 있고, 막다른 길에 다다라 돌아가야 할 때도 있고요. 장애물을 넘고 넘어도 앞으로 더 많은 장애물이 기다리고 있을 것으로 생각합니다. 그렇지만 포기하지 않고 지속할 수 있는 이유는, 앞서 말한 튼튼한 감정을 만들어주는 근육 때문입니다. 그래서 저는 계속 근육을 유지하기 위해 여러 곳에서 힘을 얻어 지속해보려고 합니다.

그러니 줄리, 포기하지 말고 쭉 나아가자! 거의 다 왔어! (다 오지도 않았는데 다 왔다고 하면 괜히 사람 심리가 포기하지 않게 되는 법이잖아요?)

“

마지막까지 할 수 있는
최선을 다해 봐야
후회하지 않을 테니,

계약이 끝나기 전까지 성실하게
늘 같은 마음으로,

아침에 라디오를 듣는 청취자가
기분 좋게 하루를 시작할 수 있도록
노력했습니다.

”

Part 2 : 내 이름을 건 라디오

첫 번째 찾아온
라디오 DJ 기회

기회는 준비된 자에게 찾아온다는 말이 있죠. 맨땅에 헤딩하는 마음으로 여러 플랫폼을 경험해보고 꾸준히 녹음과 실시간 방송을 진행해오던 저에게 첫 번째 라디오 DJ의 기회가 찾아왔습니다. 평소처럼 'N' 포털 사이트에 로그인하려고 했는데 메인에 '오디오 크리에이터 모집'이라는 큼지막한 광고를 보게 됐습니다. 'N' 포털 사이트를 접속한 모든 이에게 보이는 광고지만 그 순간 '이 광고는 나를 위한 광고구나' 싶어 냉큼 클릭했습니다. 새로 생긴 실시간 방송 'N'에서 라디오를 진행할 1인 크리에이터를 모집한다는 내용이었습니다. 크리에이터로 선정되면 라디오 제작에 필요한 장비와 제작비를 지원해주고, 메인에 콘텐츠를 띄워 많은 사람에게 홍보할 기회를

준다는 것이었습니다. '유레카! 드디어 나와 딱 맞는 기회가 생기다니!'

이런 기회를 놓칠 리 없는 저는 열심히 기획안을 쓰기 시작했습니다. 크리에이터로 신청하려면 기획안과 20분 분량의 녹음한 오디오 샘플이 필요했습니다. 처음 든 고민은 '라디오 시간대'였습니다. 몇 시에 하는 라디오냐에 따라 콘셉트와 청취자층이 달라지니까요. 아침에 하는 라디오는 잠을 깨기 위해 밝게 해야 하고, 낮 시간대는 점심 먹고 졸린 사람이 많아 재밌고 활발하게 해야 하고, 저녁 시간대는 일과를 마무리하고 편하게 들을 수 있도록 차분하고 잔잔하게 하는 게 좋았죠. 마음 같아서는 차분하게 듣기 편한 저녁 시간대, 오후 10시가 좋았지만 아무래도 그 시간은 다들 좋아해 인기가 많을 것 같았습니다.

기회를 잡을 때는 냉정하게 자신의 위치를 아는 것도 중요합니다. 그때의 저는 크리에이터를 시작한 지 3개월인 초보에, 인지도도 일반인이나 다름없는 위치였죠. 그래서 가장 선택지가 없을 것 같은 시간을 고려했습니다. 크리에이터가 일하기에도, 많은 사람이 듣기에도 좋은 낮과 밤 시간대를 제외한 아침 시간대를 선택했습니다. (일단 붙고 봐야 합니다)

차분하고 잔잔한 심야 라디오도 좋지만, 아침을 깨워주는 활기찬 아침 라디오도 매력적이고 좋을 거 같았습니다. 이왕 이렇게 된 김에 아침형 인간이 되고 싶기도 했고요. 시간대를 정하고 난 뒤, 청취자층과 콘셉트를 잡아나가기 시작했습니다. 아침 8시라면 어떤 사람이 들을 수 있을까. 아무래도 시간대는 출근하는 직장인이 제일 잘 맞을 것 같았습니다. 저도 직장 다닐 때 8시에는 졸린 잠을 깨려 출근길에 음악을 들었거든요. 그렇다면 피곤한 직장인이 그 시간대에 어떤 콘텐츠를 듣기 좋아할까 생각해봤습니다. 몽롱한 잠을 깨워줄 멘트, 시끄럽지 않으면서도 활기찬 음악, 귀를 기울이게 되는 흥미로운 토크, 알아두면 좋은 생활 정보들까지요. 그렇게 해서 아침 라디오 콘셉트는 DJ 줄리가 아침을 깨워준다고 하여 '아침 깨워 줄리'로 정했습니다. 요일별로 지루하지 않게 챙겨 들을 수 있는 고민 사연과 좋은 정보를 알려주는 코너까지 짜서 기획안을 작성했습니다. 그리고 예시로 대본을 써서 20분 분량의 오디오 샘플도 녹음하고요.

기획안과 샘플을 모두 보내고 나면 이제 운명에 맡길 차례입니다. 될 길이면 열릴 것이고, 아니라면 안 열리겠죠. 좋은 기회가 찾아왔다고 되길 바라는 마음을 잔뜩 가지고 기다리면 결과가 원치 않을 때 실망이 크더라고요.

이전에 한번 크리에이터 지원사업에 신청한 적이 있습니다. 1차 서류는 무사히 합격해 2차 면접을 보면서 칭찬 한마디 했다고 (목소리가 좋고 콘텐츠도 좋네요) 최종 선발될 줄 알고 자신만만했다가 떨어진 경험을 맛본지라 어떤 것에도 기대하지 않기로 했습니다. 일명 '관심 없는 척'을 하면 좋습니다. 되든 안 되든 나는 관심 없소, 하고 평소처럼 지내면 나중에 덜 상처받습니다. (그렇지만 발표 날은 달력에 동그라미 그려놨습니다)

관심 없는 척 며칠을 지내다가 1차 발표날에 메일이 왔습니다. 1차 합격하여 2차 면접을 볼 날을 정하자는 내용이었습니다. 기분은 내심 좋았지만, 방심은 금물이었습니다. 차분하게 2차 면접 볼 날을 정해 답장을 했습니다. 그리고 또 이어진 '관심 없는 척하며 일상 보내기.' 심지어 주변 사람에게도 알리지 않았습니다. 괜히 말했다가 떨어지면 혼자 난리 친 꼴이 될 테니까요. 혼자서 2차 면접을 볼 때 할 질문과 답변을 준비해 면접 날이 오길 기다렸습니다. 면접 날, 준비한 답변으로 면접관과 대화를 주고받았습니다. 확실히 하려는 콘텐츠를 하나부터 열까지 모두 준비해놓으니 예기치 못한 질문에도 답변할 수 있었습니다. 그러던 중 면접관이 콘텐츠를 좋게 봤는지 의미심장한 한 마디를 꺼냈습니다.

"저도 아침에 이 라디오 들으면서 깨야겠어요."

설마, 이 한 마디라면 조금의 좋은 결과를 기대해도 되는 걸까요. 면접을 끝내고 혼자 가물가물하다가 이내 확신하지 말자 고개를 저었습니다. 또 운명에 맡기고 관심 없는 척하며 일상을 보내기로 했죠. 드디어 최종 합격 발표날, 아침에 눈을 뜨니 바로 메일을 확인하고 싶어졌습니다. (관심 없는 척한다면서 하루 전날 밤새 될지 안 될지의 상황을 머릿속으로 그려봤습니다) 메일을 들어가면서 생각했습니다. '아니겠지, 아니겠지, 내게 이런 좋은 기회가 빨리 올 리 없어.'

맞는다고 확신하면 안 되고, 아니다 싶으면 맞는 이상한 촉인지 메일에 '크리에이터가 되신 걸 축하합니다'라는 제목이 눈에 들어왔습니다. 클릭해보니 라디오 진행 날짜와 하는 방법과 장비 지원 등 세세한 내용이 적혀있었습니다. 드디어 제게 첫 번째 기회가 찾아온 걸까요? 합격 소식을 받고 크게 기쁘기보다는 놀라며 얼떨떨했습니다. 메일을 열기 전까지 불합격 소식을 따듯한 멘트로 포장한 내용이 있을 것으로 생각했거든요. 합격 후에야 주변 지인과 청취자에게 이 소식을 알렸습니다.

"여러분, 저 앞으로 제 이름을 건 라디오 하게 되었어요. 혹시 아침에 시간 되시면 들으실래요?" (시간 안 되면 말고요)

주변 사람들의 응원을 받고 〈아침 깨워 줄리〉를 할 생각에 신이 났습니다. 1화 대본을 구체적으로 작성하며 어떻게 진행할지 준비했습니다. 떨리진 않았습니다. 여태껏 아무리 반응이 없어도 매일 실시간 방송을 한 경험이 이리 쓰이는구나 싶었거든요. 헤매고 힘들었던 경험은 언제든 빛을 발하는 것 같았습니다. 그렇게 이름을 건 라디오를 시작하게 됐습니다.

"여러분, 일어나세요.

여러분의 아침을 깨워주기 위해 DJ 줄리가 왔습니다."

아침 깨워 줄리 첫 방송
On Air

〈아침 깨워 줄리〉 편성이 최종 결정되고 'N' 포털 사이트의 'N' 방송에서는 본격적인 준비에 돌입했습니다. 앞으로 방송할 크리에이터를 모아 소통 채널을 만들고, 그곳으로 필요한 공지 사항을 전달했습니다. 그제야 어떤 크리에이터가 최종 선발됐는지 알 수 있었습니다. 유명한 유튜버부터 인기 많은 BJ도 있었습니다. 순간 저도 모르게, 그럴 필요는 없었지만, '내가 제일 구독자가 적고 인기가 없잖아!'라고 현실 파악을 했습니다. (그래도 방송하는데 그게 무슨 상관이겠습니까, 앞으로 잘하면 되죠!)

'N' 측에서는 라디오 진행을 위해 필요한 장비를 지급해줬습니다. 현재 작업하는 스튜디오나 작업실의 컴퓨터 사양과 가진 장비를 알려달라 했는데, 그때 당시 갖고 있던 장비라고는 컴퓨터와 선물로 받은 마이크, 그리고 보이는 라디오를 하는 사람이라면 다 갖고 있다는 로지텍 C920 웹캠이 전부였습니다. 또한, 작업 공간도 사진으로 찍어 전달했는데, 침대 바로 앞에 있는 책상이었던지라 초라하기 그지없었습니다. (사진만 보면 취미로 인터넷 하는 사람의 책상과 다를 바가 없었습니다, 혹은 그보다도 못한)

'N' 측에서는 필요한 장비를 지급해줬습니다. 원활한 라디오 진행을 위해 좋은 마이크와 오디오 컨트롤러, 이후에는 보이는 라디오를 위해 카메라와 조명까지 지급했습니다. 장비만으로 든든한 지원군이 생긴 것 같았습니다. 확실히 좋은 장비를 갖추면 하는 사람도 듣는 사람도 편하고 좋은데, 혼자 다 준비하려니 세세한 것까지 챙기지 못하기도 했죠.

그다음으로는 'N' 포털 사이트 메인에 노출되는 포스터를 촬영했습니다. 사진 스튜디오에서 콘셉트에 맞는 포스터 촬영을 진행했는데, 사전에 받아본 콘셉트는 아침 라디오라서 '침대에서 일어나 잠옷 입고 기지개 켜는 모습'이었습니다. 머리 손질과 메이크업, 의상까지 준비를 도와준다 했습니다. 그렇다면 제가 포스터 촬영 날까지 준비할 일은 표정 연습 그리고 다이어트였습니다.

나름 거울을 보고 자세와 표정 연습을 한 대로 촬영에 임했더니, 현장에서 좋다는 칭찬을 받았지만 (아무래도 빠른 촬영을 위해 스태프분들이 호응해준 것 같기도 하고요) 다이어트는 성공하지 못했습니다. 사진을 보니 실제보다 1.5배는 부하게 나온, 포토샵을 안 거친 사진 속 모습은 제가 봐도 낯설었죠. (마치 영화 「올드보이」 대사를 연상케 했습니다. 너 누구냐)

최종 포스터 시안을 받고 조금 놀랐지만, 겸허히 받아들이기로 했습니다. 누군가 제게 죄가 있다고 묻는다면 완벽히 다이어트를 하지 못한 죄, 맛있는 음식을 뿌리치지 못한 죄, 실제보다 부하게 나올 것을 고려하지 못하고 안일하게 대처한 죄가 있습니다.

모든 준비를 마치고 11월 6일 월요일부터 〈아침 깨워줄리〉를 시작했습니다. 아침 8시, 정각에 시작하는 실시간 라디오였습니다. 사전에 라디오 송출하는 방법을 배우고 리허설을 거친 후라 첫 방송 당일 무리 없이 준비할 수 있었습니다. 이름을 건 라디오에 PD, 작가, DJ까지 혼자 모두 해야 하니 책임감을 느끼고 역할을 다해내야 했죠. 라디오라 화면이 보이지 않아 시작 전까지 떨리지 않았지만, 막상 5초 전부터 카운트를 세니 조금은 두근거렸습니다. 많은 사람이 지켜보는 곳에서 실수 없이 제시간에 시작해서 끝내야 한다는 부담감이 생겼습니다. 대본을 잘못 읽지는 않겠지, 목소리가 달달 떨리진 않겠지, 말을 버벅대지는 않겠지, 몇 초간 정적이 흐르진 않겠지, 하루 전날 밤 별걱정을 모두 했습니다.

8시 정각이 되자마자 실시간으로 방송을 송출했고, 바로 모바일 'N' 포털 사이트 메인에 잠옷 입고 기지개 켜는 저의 포스터가 노출되었습니다. 확실히 이용자가 많은 곳이라 청취자가 많이 들어와 첫 방송부터 반응이 좋았습니다. 그간 쓸쓸하게 플랫폼 하단에서 외면받으며 방송했던 제게는 큰 반응으로 다가왔죠.

또한, 첫 방송을 한다고 주변에 설레발을 많이 해놔서 저를 아는 청취자와 지인들이 아침 일찍 일어나 들어주고 좋은 멘트로 응원도 해줬습니다. 얼마나 감동적이고 감사했는지요. (이 자리를 빌려 그때 오신 분들 모두 사랑한다고 말하고 싶네요)

그 외에 우연히 클릭해서 온 청취자도 좋은 메시지로 반겨줬습니다. 떨리던 〈아침 깨워 줄리〉 첫 방송 오프닝 멘트가 아직도 생생하게 기억납니다.

「여러분 일어나세요! 월요일 오전 8시입니다.

안녕하세요, 저는 〈아침 깨워 줄리〉의 DJ줄리입니다.

앞으로 이곳에서 월요일, 수요일, 금요일 오전 8시에 여러분들의 아침을 활기차게 만들어 드릴 거예요.

출근하는 직장인, 등교하는 학생분들, 외출 준비하는 모든 분, DJ줄리와 함께 활기찬 아침을 만들어요!」

첫 방송을 끝내고 나서는 두 가지 덕분에 행복했습니다. 좋아하는 라디오를 직접 기획하고 진행하게 된 일, 그리고 라디오를 응원해주는 주변 사람들의 진심 어린 응원 덕분에 말이죠. 훈훈한 마음에 이런 생각이 절로 들더라고요. '나, 라디오 하길 잘했구나!'

앗,
라디오 방송사고!

실시간으로 진행되는 라디오 방송은 하는 사람과 듣는 사람 모두에게 굉장히 매력적으로 다가옵니다. DJ로서는 실시간으로 제 멘트에 바로 응답해주는 청취자의 메시지를 볼 수 있어 좋고, 청취자는 보낸 메시지를 바로 읽고 답하는 DJ의 반응을 들을 수 있어 재밌죠.

〈아침 깨워 줄리〉는 아침 8시에 진행하는 라디오이다 보니 주 청취자가 40대 여성이었습니다. 'N' 측에서 매달 청취자 분석 자료를 보내줘서 주 연령층을 알았지만, 라디오를 하면서 청취자의 메시지를 통해서도 알 수 있었습니다.

[저는 아이 어린이집 보내고 라디오 듣는 중이에요]

[우리 아이가 안 일어나요, 김동훈 일어나라고 말해주

세요]

[2살 아기가 버튼을 잘못 눌러서 오타가 났어요]

[안녕하세요, 엄마와 라디오 듣고 있는 초딩입니다]

현실적이면서 조금은 웃긴 메시지를 읽으면서 주 청취자를 파악했습니다. 보통 제 목소리를 들으면 아침보다는 저녁이 잘 어울린다고 하지만, 이 목소리로 아이 이름을 부르며 "일어나렴" 하고 말 아이가 낯선 목소리에 놀라서 일어나는지 [줄리님, 아이가 깼네요, 감사합니다]하고 바로 메시지가 왔습니다. 실시간으로 소통하는 재미를 느낄 수 있는 게 라디오의 매력이었죠.

이 실시간의 장점은 다양하게 많지만 단 하나의 단점도 있습니다. 예기치 못한 상황에 벌어질 수 있는 방송사고를 그대로 들켜버린다는 점이었습니다. 회차마다 실수 없이 잘 해내려고 노력했는데, 완벽하지 못한 사람인지라 18개월 동안 몇 번의 방송사고를 낸 적이 있습니다. 제 기준으로 방송사고였던 세 가지 에피소드를 고백해보겠습니다.

첫 번째 방송사고, 지각했던 날.

예전에 TV에서 라디오를 진행하는 DJ들의 방송사고 에피소드를 시청자로서 웃으며 본 적 있습니다. 눈 뜨니 라디오 할 시간이 지났고, 핸드폰에는 PD와 매니저의 부재중전화 여러 통이 와 있고, 부랴부랴 잠옷 입은 상태로

뛰쳐나가 방송국을 갔다는 이야기. 그때는 방송사고 재밌다, 하고 넘겼지만 실시간 라디오를 맡게 되니 그들의 이야기가 멀게 느껴지지 않았습니다. 절대 지각하지 말자는 마음으로 늦지 않도록 매번 알람을 2개씩 맞춰뒀습니다. 보통 라디오 하는 DJ는 스튜디오에서 진행하기 때문에 늦잠이나 평소와 다른 교통체증(엄청난 눈과 비가 내리거나 큰 교통사고가 났다거나)으로 지각하겠지만, 집 안에 작업실을 두고 재택근무와 다름없는 제 상황에서의 지각은 다른 이유를 댈 수 없이 '늦잠'뿐이라 더욱 늦지 말아야 했죠. (여러분, 죄송합니다. 안방에서 나오는데 문턱에 걸려 넘어지는 바람에 무릎에 피가 나고, 다리를 절며 걷는 바람에 의자에 앉는 데까지 시간이 걸렸고, 그래서 지각하게 되었습니다, 와 같은 말도 안 되는 변명을 할 수 없겠죠)

평소 알람을 잘 듣고 일어나는 편이라 전날 저녁 방송이 새벽에 끝나도 아침 7시에 잘만 일어나 큰 걱정을 하지 않았는데, 늘 사고는 방심할 때 일어나기 마련이었죠. 라디오에 첫 지각을 한 날, 전날에 유독 커피가 당겼습니다. 원래는 1일 1잔 규칙으로 한 잔만 마셨는데, 더운 여름에 목이 말라 낮에 커피 한 잔을 더 마셨습니다. 그랬더니 새벽 3~4시가 되어도 잠이 안 오더라고요. 침대에 누워 자려고 노력해보고, 잠 오는 영상을 봐도 카페인 때문에 잠이 안 왔습니다. 그러다 오전 5시가 되고 나서야 겨우 잠이 들었는데, 뒤늦게 자는 잠은 무섭게도 깊이 잠

들게 되었습니다.

아무 소리도 나지 않았지만, 몸이 불안함을 감지했는지 갑자기 눈이 팍 떠졌습니다. 바로 시계를 보니, 8시 14분. 핸드폰을 보니 알람을 끄고 잠들었는지 2개의 알람은 모두 꺼져있었습니다. 생각할 겨를 없이 작업실로 가 컴퓨터를 켰습니다. 'N' 담당자에게 연락해 지각 상황을 알렸더니, 지금이라도 1시간 동안 진행해달라는 답변을 받았습니다.

평소 같았으면 라디오 시작 전, 물 한잔을 마시며 목을 풀고 여유 있게 준비하는데 냅다 부랴부랴 켜서 진행하려니 잠긴 목소리가 나왔습니다.

"여러분, 일어나세요. 수요일 아침을 깨워주기 위해 DJ줄리가 왔습니다, 큼!"

누가 봐도 늦잠 자서 바로 켰다는 것을 짐작할 수 있는 목소리였습니다. 진작 일어나 아침 라디오를 기다리고 있던 청취자들의 반응이 빠르게 쏟아졌습니다.

[줄리님, 오늘 라디오 안 하는 줄 알았어요!]

[에? 늦잠 잤군요 ㅎ_ㅎ]

[방송사고에요! 하하하]

예기치 않은 방송사고에 청취자들은 재밌다는 듯 반응을 했습니다. 곧이어 지각한 이유와 함께 사과 말씀을 드렸습니다. 그리고 대본대로 코너를 진행하려고 했는데 중간에 들어온 청취자로 인해 메시지 반응은 계속해서 지각 이야기가 이어졌습니다.

[줄리님, 오늘 방송 안 하는 줄 알았어요!]

두 번 사과드렸습니다. 그 이후에는 지각만 하지 않으면 방송사고는 없겠다 싶었는데 사람에게는 다양한 일이 일어나기 마련이었습니다.

두 번째 방송사고, 갑작스러운 초인종 소리가 울린 날.

일이 꼬이려면 꼬인다는 말을 실감했던 날이었습니다. 라디오를 집의 작업실에서 진행하니 오가는 시간이 줄고 편한 장점이 있었지만, 집에서 생길 수 있는 뜻밖의 상황이 벌어질 수 있는 것이 단점이었습니다.

가끔 가스 점검이나 이웃이 무슨 일로 초인종을 누를 수는 있으나 보통 출근하는 아침 시간대에 찾아오는 일은 거의 없어 당황스러운 일이 생기지 않을 것으로 생각했습니다. 'N'에서 방송하는 크리에이터 중 대다수는 본인의 스튜디오나 빌린 스튜디오에서 진행하고, 저와 같이 집에 작업실을 두고 하는 사람은 몇 없다고 했습니다. (그분들은 저와 같은 방송사고를 겪진 않았으려나요) 딱 한 번, 실시간 라디오를 하는 사이에 낯선 이가 갑자기 방문한 적이 있었거든요.

큰맘 먹고 자신에게 좋은 선물을 한다는 의미로 안마의자를 주문했습니다. 혈액순환이 잘 안 되는 데다 방송하면서 많이 앉아 있고 자세도 굽어 안마의자가 필요해 좋은 마음으로 구매했죠. 부피가 큰 물건이라 업체 측에서 언제 받을 수 있는지 전화를 해왔습니다. 받는 날이 딱 라디오를 하는 월요일, 수요일, 금요일 중 하나였죠. 라디오는 아침에 하니 요일은 상관없겠다 싶었는데 업체에서 "그날 아침 8시에 배달해도 되죠?"라고 물었습니다. 아침 8시부터 배달을 해주는 업체가 있다니, 놀랍기도 하고 그 시간에 일어나 받는 사람이 있는지도 궁금했습니다. 하지만 궁금증을 참고 대답했습니다. "그 시간에는 제가 일을 해서 9시 넘어서 그 이후에 와 주세요."

이렇게 협의가 끝난 줄 알고 그날 아침 평소처럼 라디오 진행을 하고 있었습니다. 그런데 8시 40분쯤이 되었을 때, 갑자기 거실에서 초인종 벨 소리가 들렸습니다. 띵-동, 띵-동!

그때 살던 곳은 오피스텔이었는데 1층에서 호수를 누르고 요청하면 거실에 벨 소리가 울리는 시스템이었습니다. 게다가 야속하게도 그 벨 소리는 열어줄 때까지 열 번이고 울리는 것이었죠. 1인 가구라 벨 소리를 잠재울 사람이 따로 없었고, 성능 좋은 마이크에는 거실에서 크게 울리는 벨 소리가 고스란히 녹음되었습니다. 실시간으로 청취자의 반응이 이어졌습니다.

[어? 벨 소리?]

[줄리님, 누가 왔나 봐요!]

당황하고 난감해 상황 판단이 조금 느려졌습니다. 벨

소리를 무시하고 그대로 라디오를 진행할까, 그렇다기에는 벨 소리가 하염없이 울리고 있고, 서둘러 거실로 가 문을 열어주면 집 앞에 와서 한 번 더 벨을 누를 텐데, 이도 저도 할 수 없이 3초간 생각하다가 빨리 이 '딩동' 소리를 없애야겠다는 마음에 마이크를 끄고 문을 여는 쪽을 택했습니다.

빠르게 의자에 앉아 마이크를 다시 켰을 때는 아차 싶었습니다. 당장 급한 불은 껐지만 배달하는 기사가 집 앞에 와서 벨을 누르면 소리가 또 날 것이었습니다. 실시간으로 라디오를 듣는 청취자들께 죄송한 마음이었지만, 마음 넓은 청취자들은 이해한다며 재밌다는 반응을 보였습니다. 그렇지만 제 마음에는 진땀이 계속 흐르고 있었죠.

아니나 다를까 3분 뒤, 집 앞에 도착한 택배기사가 초인종을 한 번 더 눌렀습니다. 두 번째로 마이크를 끄고 후다닥 나가 문을 열었습니다. 아마 사전에 연락해 배달 일정을 통화한 담당자는 배달 기사가 아니라 중간에서 일정만 조율하는 사람이었나 봅니다. '저 집을 첫 번째로 배송하고 차례대로 배송하자'라는 마음이었는지, '9시에 오라 했는데 더 일찍 배달해주자'라는 좋은 마음이었는지 약속 시간 보다 일찍 와서 제게는 반갑지 않은 불청객이 되었습니다.

벨 소리를 빠르게 없애자는 마음으로 두 번 문을 열어

줬는데 막상 문을 여니 더욱 당황스러웠습니다. 두 명의 택배기사와 크나큰 안마의자가 문 앞에 있는데, 순간이 큰 안마의자를 집에 설치하자니 시간이 걸리겠고, 그럼 그 시간 동안 라디오에는 아무 소리도 들리지 않는데 더 큰 방송사고가 되겠다 싶었습니다. 순간 판단한 결정이 "다음에 와 주세요"였습니다. 그 택배기사도 조금 어이없었을 겁니다. 무거운 안마의자를 갖고 왔더니 문 앞에서 다음에 와달라니, 황당할 따름이었죠. 그것도 길게 설명할 시간이 없었습니다. "제가 지금 일하고 있는데 설치할 수 없어서요, 조금만 있다가 오실 수 없을까요? 9시 이후에 와달라고 했는데 너무 일찍 오셔서요."

결국 그날 라디오에는 몇 번의 정적(마이크를 끄고 대처하는 시간)이 있었고, 잠시 상황 정리하는 동안 청취자들은 어떤 상황이었는지 설명해주길 흥미진진하게 기다렸으며, 준비한 대본대로 1시간을 진행하지 못하고 진땀만 엄청나게 뺀 아침이었습니다. 라디오를 끝내고 바로 택배기사와 연락해 무사히 안마의자는 설치했고요. (다른 집부터 배송하려고 갔다가 멀리 가지 않아 다시 돌아와 설치해 줬습니다)

택배기사와 청취자 모두에게 사과만 했던 아침이었는데, 그들은 "괜찮아요"라고 했지만, 아직도 그날 생각만 하면 저만 괜찮지 않았나 봅니다.

세 번째 방송사고, 청취자의 침묵이 생긴 날.

마지막 방송사고입니다. 세 번째는 청취자는 방송사고라 생각하지 않을 수 있는데, 제 기준에서는 당황스러운 방송사고였습니다. 〈아침 깨워 줄리〉는 DJ인 저 혼자 이끌어가는 라디오라 청취자를 게스트로 하여 실시간 보내주는 메시지를 읽으며 소통하며 오디오를 채워갔습니다.

매주 금요일 아침에는 하나의 주제에 대해 각자 경험한 에피소드를 이야기해서 실시간으로 가장 강력한 에피소드를 가진 청취자를 승자로 뽑는 코너, '어그로왕'을 진행했습니다. 흔히 경험할 수 있는 주제를 선정해 청취자가 메시지 할 동안 제가 먼저 경험을 이야기하고, 차곡차곡 쌓인 메시지를 읽으며 실시간으로 소통을 이어나갔습니다. 매주 금요일마다 청취자의 다양한 이야기가 쏟아져 실시간으로 읽는 재미도 있었고, 매주 선정하는 어그로왕에 청취자도 재밌게 참여했죠. 그렇지만 매회 진행할수록 점점 주제가 고갈되기 시작해서 금요일 대본을 쓸 때마다 작업실을 돌아다니며 혹은 인터넷을 뒤져가며 주제 거리를 찾곤 했습니다. 그러다 요즘 인터넷에 중고거래에 대한 다양한 에피소드가 많아, 그와 관련된 주제를 정하면 좋겠다 싶었습니다.

종종 집 정리를 할 때면 필요 없는 물건을 중고시장에 내놓고 팔며 다양한 사람을 만나다 보니 저도 할 이야기가 많았고요. 다들 한 번쯤은 중고 거래 경험이 있겠지

싶어 그 주 금요일 주제를 '중고 거래'로 결정했습니다.

그날 오프닝 때부터 인사를 건네던 청취자가 조금 적었지만, 크게 개의치 않고 1부 코너 '어그로왕'을 진행했습니다. 주제를 던지고 먼저 제 경험을 이야기하며 청취자의 에피소드를 기다리고 있는데, 실시간으로 아무 메시지가 오지 않는 겁니다. 순간 여러 합리적인 의심을 해봤습니다. 인터넷 연결이 끊긴 걸까, 네이버가 고장 난 걸까, 그 와중에 에피소드가 없어 청취자의 반응이 없다는 의심은 하지 않았고요. 진실은 의심하지 않았던 바로 그' 경우'였는데 말이죠. 당황스러워 한 번 더 같은 대본을 읽었습니다.

"여러분은 중고 거래하면서 생긴 일이 있나요? 한 번쯤은 중고 거래를 해봤을 텐데요. 하면서 겪었던 에피소드 어떤 것이든 좋습니다. 편하게 메시지 해주세요."

놀랄 만큼 그 누구도 메시지를 보내지 않아 메시지 창은 그대로 멈춰 있었습니다. 무슨 이야기라도 해야 할 것 같았습니다.

"여러분은 중고 거래 안 해보셨나요? 요즘 유행하는 중고 거래 앱도 있잖아요. 거기 보면 재밌는 물건들도 많이 팔고 있습니다. 거기서 제가 본 재밌는 글이 하나 있어요. 2022년 1월 1일이 되자마자 2021년 공기를 판다면서 하얀 비닐봉지에 공기를 채워 묶은 사진을 올려서 천 원에 파는 분도 있었답니다. 재밌지 않나요?"

그런데도 아무런 메시지가 없어 한 번 더 강한 의심, 인터넷이 정말 끊겼을지도 모른다는 강한 의심이 들었습니다. 곧이어 한 청취자가 당황한 저를 달래기 위해 쓴 메시지를 보고 의심을 거뒀지만요.

[음, 저는 중고 거래를 한 번도 해보지 않아서요. 할 얘기가 없네요.]

그날 코너는 한 마디로 '망했다'고 표현할 수 있었습니다. 청취자의 메시지가 없어 남은 시간을 채우느라 급하게 딴소리를 해댄 것 같기도 합니다. 은근 그날의 당황스러움이 오래 기억됩니다. 그날 이후 금요일 코너 주제를 준비할 때마다 누구나 다 경험할 수 있는 더 쉬운 주제로 정했고, 그날처럼 에피소드가 없을 때를 대비해 2~3개 분량의 제 이야기를 더 준비해놓기도 했죠.

이렇게 18개월 동안 아침 라디오를 하며 실시간이라 겪은 방송사고들이 있었습니다. 한번 실수하니 다음부터는 그 실수를 하지 않기 위해 더 만반의 준비를 해놓게 되고, 그러면서 실수 없이 안정적으로 진행할 수 있게 되었죠. 다시 생각해도 여전히 아찔했던 경험들이었습니다. (그때 'N'에서는 월수금 진행했던 라디오를 일요일 오전에 재방을 해주곤 했는데 그때 당황했던 제 목소리가 한 번 더 들렸을까요. 휴, 방송사고 라디오는 이렇게 글로만 남았으면 하는 바람입니다)

아침을
깨워주기 위한 노력

오디오북으로
들어보세요

〈아침 깨워 줄리〉는 매주 월요일, 수요일, 금요일 실시간으로 하는 라디오 방송이었습니다. 초반에는 주 3회 모두 오디오로만 진행했다가 보이는 라디오가 인기를 끌며 'N' 측에서 보이는 라디오도 시도해보는 것이 어떻겠는지 제안을 했습니다. 음성과 음악에 더욱 집중할 수 있는 라디오를 좋아하긴 했는데 대중이 좋아하는 보이는 라디오가 인기라면 안 할 이유도 없긴 했습니다. 다만, 실시간으로 보이는 제 얼굴과 모습에 더욱 신경을 써야 한다는 게 약간 걸렸죠.

실시간 스트리밍 방송을 해오면서 청취자들이 '보이는 라디오로 하면 더 인기가 좋아요'라는 의견에 보이는 라디오도 많이 진행했던 터라 카메라가 어색하진 않았습니다. 익숙해지기까지 시간이 걸리긴 했죠.

방송을 하기 전에는 얼굴에 근육을 쓰지 않은, 평소의 제 얼굴을 몰랐습니다. 거울이나 카메라로 사진을 찍을 때 마주하는 얼굴은 내 눈에 보이니 그때 잠깐 얼굴 근육을 쓰며 신경을 썼었던 거죠. 그 얼굴이 평소의 얼굴이라 생각했습니다. 그런데 보이는 라디오로 송출되는 영상을 보고 적잖은 충격을 받았습니다. 화면 속 나를 마주할 때는 밝은 미소를 짓느라 얼굴 근육을 썼지만, 다른 쪽 모니터를 볼 때 얼굴 근육을 쓰지 않은 채로 송출되는 제 얼굴은 어딘가 모르게 기분이 안 좋아 보였습니다.

'너, 무슨 안 좋은 일 있어? 왜 이렇게 표정이 뚱해?' 할 때의 그 표정이었습니다. 맹세코 기분 안 좋은 일이 있는 게 아니고, 일부러 지은 표정이 아닌데도 말입니다. 실시간 방송은 실제 녹화되는 화면보다 3초 뒤에 송출됩니다. 무의식적으로 얼굴 근육을 푼 표정을 몰랐다가 방송에 나오는 3초 전의 나를 마주하니 당황스럽고 낯설었습니다. 저도 모르게 이런 말이 튀어나오더라고요. "여러분, 제 표정 왜 저래요?"

그래서 보이는 라디오를 했던 방송 초반에는 안 쓰던 얼굴 근육을 쓰느라 방송이 끝나면 피로감이 한꺼번에 몰려왔습니다. 점차 방송하면 할수록 얼굴 근육을 쓰는 게 익숙해졌습니다. 다만, 그다음에 신경 쓰이는 게 눈에 들어왔죠.

보이는 라디오를 하면 시청자들은 계속 화면을 보기 때문에 '보이는 것'에 대해 말하니 보이는 모든 것에 점점 신경이 쓰였습니다.

[줄리님, 가만 보니 목주름이 있네요?]

[머리를 자주 만지시는 것 같아요]

[오늘은 화장이 연한 것 같네요]

예전에 TV 속 연예인을 보고 이런 생각을 했습니다. 쉬지 않고 머리 스타일과 색을 바꾸는 것에 대해, 왜 머리를 가만두지 않을까 싶었습니다. 보이는 라디오를 하며 그 이유를 이해하게 됐습니다. 평소 긴 생머리에 차분한 머리 스타일을 좋아하던 저였는데, 매번 같은 머리 스타일로 방송하니 저조차도 머리 스타일이 지겨워 보였습니다. 나도 지겨운데 보는 시청자들은 오죽할까, 싶어 보이는 라디오를 할 때는 머리를 묶기도 하고, 머리핀을 꽂기도 하고, 염색도 하면서 스타일을 자주 바꿔주려 노력했습니다.

하여튼 'N' 측에서 제안한 보이는 라디오에 응했습니다. 대신 주 3회 모두 보이는 라디오를 하기엔 듣는 라디오를 예정했던 터라, 주 1회는 오디오로 진행하고 나머지 주 2회를 보이는 라디오를 하기로 했죠. 결정하고 나니 갑자기 놓친 한 가지 부분이 생각났습니다. '아차, 나는 아침에 얼굴이 붓는데, 이를 어찌한담!'

혈액순환이 잘 안 되는 체질이라 자고 일어난 직후에

는 얼굴이 조금 부어 쌍꺼풀도 없어지고 있는 볼은 더 부어 얼굴이 더 동그래집니다. 그렇다고 아침 8시 라디오를 위해 6시에 일어나면 피곤하니, 최대한 아침에 할 수 있는 얼굴 부기 빼는 방법을 다 찾아봤습니다. 찬물로 세수하고, 냉동실에 얼려둔 냉수 팩으로 얼굴을 눌러주고, 청담동 연예인 미용실에서 한다는 부기 빨리 빼주는 차(따뜻한 녹차에 설탕 한 숟가락 타서 마시는)를 마시기. 그래도 온전히 얼굴 부기가 빠지진 않았습니다. 마지막 최후의 수단으로 방패를 들기로 했죠, 바로 안경.

안경집에 가서 고르고 골라 아침 라디오용 '방패 안경'을 맞췄습니다. 웃긴 점은, 시력이 안 좋아 안경 도수를 맞추면 눈이 작아 보여 미관용 안경이 되지 못했죠. 아이러니하게 렌즈를 끼고 도수 없는 안경을 쓰는 방법을 택했습니다.

청취자들은 보이는 라디오를 더 좋아했습니다. 보이는 라디오는 'N' 측에서도 청취율을 높이기 위한 하나의 수단으로 쓴 것이었는데, 더 좋은 반응은 있었지만 그렇다고 청취자가 두 배로 느는 것은 아니었습니다. 동 시간대에 실시간으로 하는 채널이 늘어나며 메인 노출 순위에도 점점 뒤로 밀려나고, 한번은 들어도 두 번은 듣지 않는 사람이 생기며 청취율은 점차 증가가 아니라 유지되거나 감소했다가 조금 증가하여 원상태로 돌아오는 정도였습니다. 꾸준히 청취하는 청취자는 있었지만, 라디오를 오래 하기 위해서는 청취율이 잘 나와야 했습니다.

저조한 성과에 따른 변화가 필요했습니다. 그래서 요일별로 반응이 낮은 코너들은 새롭게 바꾸고, 청취자의 참여를 늘릴 수 있는 게임도 진행해보고(흥미진진한 게임을 위해 춤추기 벌칙도 만들어서 춤도 췄습니다. 라디오를 위해 이 한 몸 다 바치리), 유일하게 진행할 수 있는 시간대로 변경하기 위해 새롭게 기획안을 제안하기도 했죠. 라디오 시간대를 30분 당겨도 보고, 인기 트렌드를 따라 코너도 계속 바꿔 청취자들의 좋은 반응도 이끌었지만 어쩐지 갈수록 청취율이 늘진 않았습니다. 기존의 청취자가 줄어서가 아니라 새로 들어오는 청취자가 없어 청취자의 파이가 점점 줄어드는 것이었습니다.

마치 맛집으로 비유하자면 이렇습니다. 맛집으로 소문난 곳은 매일 많은 손님이 오잖습니까. 그곳이 마음에 들어 자주 오는 단골손님도 있고, 입소문을 타서 처음 방문하는 손님, 늘 사람이 많아 궁금해서 오는 손님도 있겠죠. 자주 오는 단골손님과 새로 온 손님이 있으려면 여러 이유가 있겠지만 우선은 음식이 맛있어서, 라고 생각했습니다.

많은 청취자가 오는 맛집이 되려면 음식인 콘텐츠가 중요하다고 봤죠. 콘텐츠가 재밌으면 자주 오고, 또 입소문을 타서 새로 구경 오는 청취자도 생기겠지. 처음은 콘텐츠만이 모든 길의 답이라고 판단했지만, 시간이 지나면서 다른 요소들도 중요하다는 것을 깨달았습니다. 맛있어도 안 유명한 가게도 있고, 주인이 친절해도 분위기가 별로라 두 번 가지 않는 가게도 있고, 고급스러운 실내장식에 편안한 분위기여도 위생이 좋지 않아 손님이 없는 가게도 있죠. 그러니까 라디오의 매력으로 청취자를 늘리기 위해서는 여러 이유가 있다는 것을 알았습니다.

많은 사람이 제 목소리가 듣기에 좋고 편하고, 라디오가 차분해서 분위기 좋고, 콘텐츠가 재밌다고 해도 청취자가 늘지 않는 이유는 있었을 겁니다. 줄리라는 사람에 딱히 흥미가 없어서, 무난한 라디오라서, 들어야 할 이유가 없어서, 'N'이라는 방송을 몰라서, 그 외에 파악하지 못한 이유도 여러 가지가 있겠죠.

라디오 크리에이터를 시작한 지 얼마 되지 않아 경험이 부족해 그 이유를 알기는 쉽지 않았습니다. 거기에 혼자 모든 것을 해나가려고 하니 외롭기도 하고 답답하기도 했죠. 청취자에게 물어보기도 하고, 지인에게 고민 상담도 해보고, 온갖 자료와 정보를 통해 돌파구를 찾으려고 해도 딱히 방향이 잡히지 않았습니다. 그래서 제겐 시간과 경험이 더 필요하다고 판단했습니다. 성공하려면 여러 번의 실패와 그런데도 굴하지 않는 도약이 필요하다고 생각했습니다. 뭐든 빨리 잘 되는 길은 지름길이 아니니까요.

마지막까지 할 수 있는 최선을 다해 봐야 후회하지 않을 테니, 계약이 끝나기 전까지 성실하게 늘 같은 마음으로, 아침에 라디오를 듣는 청취자가 기분 좋게 하루를 시작할 수 있도록 노력했습니다. 그렇게 18개월 동안 노력한 아침은 즐거웠고, 웃음이 끊이질 않았고, 감사한 마음도 들었으며, 부담감에 힘들기도 했지만, 잊지 못할 따뜻한 시간이었습니다.

매주 월, 수, 금 아침을 함께 웃으면서 보내던 우리 아리님! (〈아침 깨워 줄리〉의 앞뒤 글자를 딴 청취자 애칭) 감사했어요. 그 시간 잊지 않을게요.

첫 번째 마무리
두 번째 시작 : 음악 라디오

만남은 쉽고, 이별은 어렵습니다. 특히나 그 만남이 잦고 오래될수록 말입니다. 제 이름을 건 라디오 〈아침 깨워 줄리〉는 1년 6개월 끝에 마무리를 짓게 되었습니다. 언제나 이별은 갑작스럽게 찾아오지 않는 것 같아요. 마지막이 가까워질수록 마음의 준비를 하게 되었습니다. 'N'에서는 몇 개월 단위로 계약을 했었는데, 마지막 계약에서 담당자가 조심스럽게 말을 꺼냈습니다. 이번에는 계약하되, 청취율이 늘지 않으면 불가피하게 재계약을 못 할 수도 있다고, 'N'에서도 더 많은 이용자를 끌기 위한 다른 전략을 세우느라 그렇다고, 정확한 이유와 설명을 해주니 이해가 갔습니다. 이익을 추구하는 기업으로서는 꾸준히 증가하는 성과가 나와야 한다는 것도 알았고요. 언젠가는 끝이 있으리라 생각했기 때문에 마지막이 슬프진 않았습니다.

두 달이 지나고, 청취자가 늘지 않는 상태가 이어지자 담당자의 전화가 왔습니다. 그때 울리는 전화가 마지막임을 짐작했습니다. 이별을 고해야 하는 담당자도 어떻게 마음 상하지 않게 상황을 전달할지 고민하는 게 느껴졌습니다.

"줄리님, 음, 그러니까, 이전에 말씀드린 대로, 청취자가 늘지 않은 상황이라, 네, 아쉽게도 재계약을…."

어렵게 말을 꺼내는 담당자를 편하게 해주기 위해 더 담담하고 밝게 대답했습니다.

"아유, 알죠. 뭐, 제가 천년만년 라디오 할 수 있는 것도 아니고, 이해합니다. 그럴 수 있죠, 이해했어요"

"네, 아쉽지만 그래도 완전히 끝나는 것은 아니고요, 다음에 또 기회가 생길 수 있으니…."

모든 일에는 시작과 끝이 있다고 생각했습니다. 물론 더 오래 했으면 좋았지만 제 운명은 거기까지였으니 끝도 담담하게 받아들이려고 했죠. 그렇게 편한 마음으로 남은 한 달의 라디오 이별을 천천히 준비하기로 했습니다. 저는 상황을 이해하고 받아들였으니 괜찮았는데, 활기찬 아침을 기다리는 청취자에게는 언제 이별 날짜를 말해야 할지 고민이었습니다. 괜히 일찍 말을 꺼내 남은 기간에 괜히 아쉬운 마음만 들게 할 수 있고, 그렇다고 이별을 뒤로 밀고 미루다가 마지막 주에 갑자기 "우리는 이번 주만 보고 끝이에요"하고 냉정하게 끝내면 예의가 아닌 것 같았고요. 적당히 이별을 받아들일 시간으로 2주 전에 말하기로 했습니다. (한 달은 길고, 일주일은 짧으니 가운데 2주가 딱 적당하죠?)

여느 때처럼 아침 오프닝을 하면서 자연스럽게 이야기를 꺼냈습니다. 그랬더니 이어 아쉬워하는 청취자의 반응이 이어졌습니다.

[줄리님, 이번 달이 마지막이라뇨. 아쉬워요]

[N은 당장 아침 깨워 줄리를 연장해주라!]

저보다 두 배로 아쉬워하는 청취자의 반응으로 마음이 뭉클해졌습니다. 매주 아침마다 자주 만나던 청취자의 인사와 마음 따뜻한 메시지, 꼭 듣고 싶다고 신청한 곡까지 모두가 소중하게 느껴졌죠.

마지막 라디오 대본을 쓸 때는 그간 감사했던 마음을 전달하기로 하며 이별과 잘 어울리는 노래 015B의 「이젠, 안녕」을 오프닝 곡으로 골랐습니다. 음악을 들으면서 대본을 쓰는데 이별 분위기가 물씬 나서 갑자기 울컥했습니다. 마치 이별 편지를 연상케 하는 마지막 라디오 오프닝 멘트는 이러했습니다.

「여러분, 일어나세요.

금요일 마지막 아침이 밝았습니다. 오늘도 여러분의

아침을 깨워주기 위해 DJ줄리가 왔습니다.

오프닝 곡으로 015B의 〈이젠, 안녕〉을 듣고 왔는데요. 노래 가사처럼 '안녕은 영원한 헤어짐은 아니겠지요. 다시 만나기 위한 약속일 거야. 함께 했던 시간은 이제 추억으로 남기고 서로 가야 할 길 찾아서 떠나야 해요.'

그렇죠, 아침 깨워 줄리는 오늘이 마지막이지만!
우리는 다시 만날 것이고, 어디서든 만날 수 있습니다.
줄리의 라디오는 계속되니깐요. 우리가 1년 6개월 동안 월수금 아침에 만나 같이 이야기를 나눴던 그 시간 모두는 우리의 소중한 추억이 될 것이고요. 그 마음, 그 시간이 좋게 좋게 하나둘씩 쌓여 현재의 기쁜 상태가 될 수 있었다고 생각해요

제가 직장을 다니다가 좋아하는 라디오를 하기 위해 퇴사를 하고 라디오를 해나간 지 2년 2개월이에요. 그중 1년 6개월을 아침 깨워 줄리를 했습니다. 생각보다 일찍 좋은 기회가 찾아와서 라디오를 한 지 얼마 안 됐을 때, 아침 깨워 줄리를 맡게 됐어요.

그래서 참 저는 'N'에게 좋은 기회와 우리 아리님들을 만날 수 있게 해준 것에 대해 감사합니다. 큰 기쁨이에

요. 저는 여러분 덕분에 월수금 아침마다 즐거웠고, 행복했고, 유쾌했어요. 늘 응원해주는 우리 따뜻하고 마음 넓은 아리님들. 언제나 함께하실 거죠?

오늘이 제가 깨워주는 마지막 아침. 그래도 제 라디오는 언제나 여러분의 일상과 함께 할 거예요.」

마지막 라디오를 하면서 어떤 청취자는 아쉬워서 눈물이 난다고 했고, 또 다른 청취자는 마지막을 가볍게 덤덤하게 받아들이고 싶다고도 했습니다. 저마다의 이별 방식으로 좋게, 따듯하게 마무리했습니다. 마지막 라디오를 끝내고 모든 장비를 끈 뒤, 창문을 열어 창밖의 공기를 맡았습니다. 공기가 상쾌하고 불어오는 바람이 시원해, 앞으로도 좋은 일이 생길 것 같은 위로가 되었습니다.

훌훌 털어버리고 나머지 하던 일에 더욱 집중하자, 싶었는데 그다음 월요일 아침이 돌아오니 막상 허전하긴 했습니다. 매주 어떤 이야기를 할지 고민하고, 자료 찾고, 대본 쓰고, 머리와 옷차림까지 신경을 쓰던 시간이 없어져 버리니 괜스레 공허했습니다.

건널목 신호를 기다리며 멍하니 적신호를 쳐다보며 고민했습니다. '앞으로 나는 어떻게 더 일을 따내야 하지?' 신호가 청신호로 바뀌자 저도 모르게 몸부터 반응해 앞으로 걸어갔습니다. 가만 생각해보니, 신호등처럼 눈앞에 보이는 것으로 행동과 마음이 달라질 수 있다는 생각이 들었습니다. 잠깐 멈출 수 있지만 일단 계속 가보면 새로운 길이 또 열릴 것이었습니다. 청신호가 깜빡거리며 '지체하지 말고 어서 가!'라고 부추기는 것 같았습니다. 때마침 〈아침 깨워 줄리〉를 끝내고 2주 간 쉬던 차에 'N' 담당자에게서 연락이 왔습니다.

'아니, 벌써, 재계약 제안을?'

그럴 리는 없었지만 예상치 못한 다른 기회가 찾아왔습니다.

[안녕하세요, 줄리님. 'N' 계열사인 음악 플랫폼 'V'에서 크리에이터로 줄리님을 섭외하고 싶다는데 괜찮으시면 연락처 넘겨도 될까요?]

유레카, 두 번째 기회가 온 것이었습니다. 들떴지만 들뜨지 않은 척 괜찮다고 답장을 보냈습니다. 곧바로 'N' 계열사의 음악 플랫폼인 'V'를 미리 둘러봤습니다. ('N'의 노예가 되기로 했죠)

맡은 역할은 음악 라디오 형식의 파티룸을 진행하는 것이었습니다. DJ가 선곡한 음악을 실시간으로 듣고, 청취자는 메시지를 보낼 수 있고, DJ는 마이크를 통해 멘트하며 소통할 수 있는 기능이었죠. 'V'에서는 〈아침 깨워 줄리〉와 같이 월요일, 수요일, 금요일 아침 7시에 활기차게 아침을 깨워주는 음악 라디오 콘셉트로 진행하고 싶어 했습니다. 끊겼던 아침 라디오가 다른 형식으로 이어 할 수 있게 되어 기뻤습니다. 게다가 음악을 많이 틀고 멘트를 적게 하는 형식이라 새롭기도 했고요.

〈아침 깨워 줄리〉와 이별한 지 한 달 만에 〈줄리와 함께 아침을〉이라는 음악 라디오로 새로운 만남을 시작하게 됐습니다. 역시 모든 일은 시작과 끝이 있고, 또 새로운 시작이 이어지는 법이죠. 새로 시작하는 아침에 들뜨고 신이 났습니다.

좋아, 음악 라디오도 잘해보는 거야! (시작할 때는 늘 에너지가 가득한 편입니다)

줄리와 함께 아침을,
시작해볼까요?

새롭게 들어가는 라디오는 음악 플랫폼인 'V'에서 실시간으로 진행하는 음악 라디오였습니다. DJ가 하나의 주제를 가지고 방을 개설해 선곡한 플레이리스트를 틀면 듣고 싶은 이용자가 들어와 같이 음악을 듣습니다. 라디오처럼 DJ가 멘트를 할 수 있고, 청취자는 메시지로 보낼 수 있는 형식이었죠.

진행하기 전, 개설된 방을 살펴보니 주로 대중가요나 발라드, 재즈, 클래식을 틀고 있었습니다. 제가 맡은 시간은 직장인이 출근할 시간인 아침 7시부터 8시였고, 활기차게 아침을 깨워주는 DJ의 콘셉트였습니다. '흠, 어떤 음악으로 아침 출근길에 같이 들을 수 있는 라디오를 만들어야 할까?'

고민이었습니다. 'V' 담당자는 같은 시간대에 겹치지 않게 첫 달에는 재즈나 인디 음악으로 선곡해보는 것을 제안했습니다. 다른 시간대보다 이른 아침 시간에는 개설되는 방이 적었는데, 주로 대중가요가 주를 이뤘기 때문이었습니다. 돌이켜보면 저도 직장인이었을 시절, 출근길이 피곤했던지라 잔잔한 음악을 듣곤 했던 게 생각났습니다. 무릎을 '탁' 치고, 첫 회차에 진행할 대본을 쓰기 시작했습니다. 자기소개와 플랫폼 기능을 안내하고, 아침에 가볍게 나눌 인사와 주제를 준비했습니다.

「여러분, 오늘도 즐거운 아침이 시작됐습니다!

안녕하세요, 오늘부터 월요일, 수요일, 금요일 아침 7시에 여러분의 아침을 활기차게 만들어 줄 라디오 크리에이터 DJ줄리입니다. 앞으로 매주 월수금 아침 시간에 DJ줄리와 함께 상쾌한 음악 들으며 하루를 시작해봐요. 출근 준비하시는 분들, 아침을 맞이하시는 분들, 등교하는 학생분들까지 모두 함께하자고요.

파티룸은 편안하게 음악 들으면서 메시지로 소통할 수 있고, 이모지로 감정 표현도 할 수 있으니 마구마구 해주시고요. 음악보다 제 목소리가 너무 크다, 작다 하시는 분들은 화면 아래 두 번째 버튼, 음표 모양을 누르시면 볼륨 조절을 할 수 있습니다.

자, 그럼 월요일 아침.

기분을 상쾌하게 해줄 부드러운 재즈를 들어볼까요.」

대본을 다 쓰고는 아침 분위기에 어울릴 재즈 음악을 선곡했습니다. 귀에 거슬리지 않으며 듣기 편한 재즈로 많은 곡을 들어보고 한 곡씩 담아 플레이리스트를 만들었죠. 새로 음악 라디오를 시작하게 되어 기쁜 마음에 유튜브와 SNS에도 소식을 알렸습니다. 〈아침 깨워 줄리〉가 끝나 아쉬웠던 청취자들이 좋은 소식이라며 이른 아침에도 라디오를 듣겠다고 응원했죠.

처음 음악 라디오를 시작하게 된 아침, 약속했던 청취자들이 와서 축하해줬고 라디오를 잘 들어줬습니다. 다만 〈아침 깨워 줄리〉와 다르게 음악 라디오다 보니 멘트가 적고 음악을 듣는 시간이 많아 아쉬워했습니다.

[줄리님, 멘트하는 시간을 더 늘려주세요! 멘트하는 시간이 너무 조금이에요]

저를 아는 청취자들은 멘트 시간이 부족하다고 아쉬워했지만 반면에 저를 모르는 'V' 이용자들은 멘트하는 시간을 못 견뎌 했습니다. 음악을 잘 듣다가도 제가 멘트만 하려고 하면 나가버리고, 또 멘트할 때 나가버리고 하는 것이었습니다. (말만 하면 줄어드는 청취자 숫자에 눈이 흔들렸죠)

멘트 시간을 늘려달라는 애청자와 멘트만 하면 휙 나

가버리는 'V' 이용자 사이에서 심히 고민했습니다. 결국 조금 절충해서 한번 멘트할 때 조금 길게 하되, 멘트 하는 횟수를 조금 줄이기로 했습니다. 처음에는 DJ의 멘트에 익숙지 않은 'V' 이용자들이 숱하게 나가기도 했지만, 음악 라디오를 한 달하고 두 달하고 계속 매주 아침 시간에 열어가니 하나둘씩 마음을 여는 청취자가 생겼습니다.

[줄리님, 처음 목소리 들었는데 좋네요]

[아침 시간에 듣기에 좋아요, 자주 들어올게요!]

제 목소리와 음악 선곡을 좋아하는 청취자가 조금씩 늘어나자 다양한 아침을 시작할 겸, 새로운 이용자를 늘릴 겸 다양한 주제 음악을 선곡했습니다. 30·40세대들을 겨냥한 '추억의 90년대 음악'부터 대중적으로 인기가 많은 '디즈니 OST', '유명한 영화 OST', '드라마 OST' 그리고 시기에 맞춰 명절에는 트로트만을 선곡하고 새해에는 희망찬 가사의 노래들을 선곡했습니다. 다양한 주제로 아침을 열어가니 매번 새롭게 알게 되는 청취자도 생겼습니다.

그렇게 1년간 매주 아침을 활기차게 열었습니다. 어느새 7시에 음악 라디오를 켜면, 아침 인사부터 하는 자주 보는 청취자들도 생기고, 주제에 맞게 신청 곡을 하며 본인의 신청 곡이 나올 때까지 기다렸다가 듣길 원하는 청취자도 생겼죠. 한 청취자는 아침 일찍 일어나 같이 음악 들으며 공부했었는데, 좋은 기운을 받으며 공부하다 보니 원하는 곳에 취직할 수 있었다는 소식을 전했습니다. 좋은 소식에 같이 기뻐했죠. (저는 청취자의 좋은 소식을 들을 때마다 같이 기쁘답니다)

음악 라디오만의 매력이 있었습니다. 선곡한 플레이리스트를 청취자와 같이 들으며 좋아해 주시는 분들이 있고, 저 또한 신청 곡으로 알게 된 곡이 좋아 음악을 더욱 풍부하게 들을 수 있게 되기도 하고요. 또한, 부지런하게 하루를 시작하는 분들과 나누는 힘찬 에너지가 있어 아침의 1시간이 매번 10분처럼 빠르게 지나갑니다.

혼자 아침 시작하시는 분들, 줄리와 함께 아침 활기차게 시작하실래요?

“

꾸준하고 성실하게 해나가기로는
어디 가서 꿇리지 않으니

매주 정해진 시간에
연재해나가기로 했습니다.

앞으로 저의 팟캐스트는 어떻게 될까요?

”

Part 3 : 나의 이야기를 담은 팟캐스트

팟캐스트의
매력에 빠지다

라디오 크리에이터를 시작하고 4개월이 지났을 때야 '팟캐스트'라는 존재를 발견했습니다. 처음 안 것은 아니었고, 이전에 스쳐 지나가면서 그런 것이 있다고는 알았는데 큰 매력을 못 느껴서 입문하지 못했던 것입니다. 처음 팟캐스트를 접해본 건, 소설가 김영하의 팟캐스트 〈책 읽는 시간〉이었습니다. 소설 쓰던 대학 시절 김영하 소설에 빠져 심심할 때마다 검색창에 '김영하'를 검색하고, 여러 정보를 얻어보려 하던 차에 진행하던 팟캐스트가 있다는 것을 알게 되었습니다.

[김영하 팟캐스트 들어봤는데 정말 좋아요. 독서를 더욱 풍부하게 하는 느낌이에요!]

팟캐스트를 들은 사람들의 후기를 보고 팟캐스트를 찾

아 듣기로 했습니다. 일과를 마치고 침대에 누워 차분하게 팟캐스트를 들으려 했는데, 이상하게도 팟캐스트를 듣고 5분이 안 되는 사이에 금방 잠이 들어버리고 마는 겁니다. (김영하 소설가의 목소리가 졸린 것인지, 피곤해서 잠을 아주 잘 잔 것인지는 모르겠지만요) 그다음 날에도 다른 에피소드로 들어보려고 했는데, 또 5분도 안 되어서 스르륵 잠이 들어버렸습니다. 몇 번의 시도 끝에 제게 팟캐스트는 '잠을 오게 하는 것'이 되어버렸죠. 요즘 유행하는, 잠 안 올 때 듣는 ASMR의 선두주자였던 것입니다. 내용은 하나도 듣지 못한 채 잠이 들게 하는 마법 같은 오디오 콘텐츠였습니다.

이러한 이유로 팟캐스트를 알고는 있었는데 미처 라디오 크리에이터를 시작하면서는 팟캐스트를 만들 생각을 하지 못했습니다. 유튜브와 실시간 방송만 잘하면 될 것으로 생각했는데, 미적지근하게 잘 안 되어버리니 다른 방법을 둘러보던 차에 팟캐스트가 눈에 들어왔습니다. 이번에는 이마를 '탁'치며, 어찌 팟캐스트를 생각하지 못하고 있었지, 자신을 한탄하며 준비하기 시작했습니다.

팟캐스트는 언제 어디서든 원하는 시간에 오디오 콘텐츠를 들을 수 있는 서비스였습니다. 애플의 아이팟(iPod)과 방송(broadcasting)을 합성한 말로, 이전에 라디오 튜너 기능을 내장한 MP3 플레이어들이 많았는데 아이팟은 라디오를 쓰지 않아 그 단점을 보완하기 위해 팟캐스트를 만들었고, 원하는 시간에 자유롭게 청취할 수 있는 매력에 전 세계적으로 확장되어 알려졌죠.

유튜브에 오디오 콘텐츠를 올려 팟캐스트처럼 원하는 시간에 청취할 수 있게 하면 된다고 생각했는데, 국내에 팟캐스트 플랫폼에서 다양한 카테고리에 무수히 많은 팟캐스트 채널이 있는 것을 발견하고는 우물 안 개구리였다는 걸 실감했습니다. 늦지 않은 시기에 팟캐스트 세계로 들어가기로 했죠. 시작하기 위해선 육하원칙 질문이 필요했습니다.

'누가, 언제, 어디서, 무엇을, 어떻게, 왜.'

일단 '제가 지금' 시작하기로 했으니 '누가'와 '언제'는 답이 되었고 그다음 '어디서'를 답해야 했죠. 어디서 팟캐스트를 할까. 검색해보니 팟캐스트 청취자가 많고, 팟캐스터를 지원해주는 국내 플랫폼은 두 곳이 있었습니다. 'N' 포털 사이트에서 운영하는 '오디오클립'과 단독 플랫폼인 '팟빵'. 먼저 '팟빵'은 누구나 쉽게 가입만 하면 크리에이터로 채널을 개설해서 쉽게 콘텐츠를 올리는 방식이었고, 반면 '오디오클립'은 사전에 기획서를 받아 검토 후에 작가로 승인해주는 방식이었습니다. 두 플랫폼은 방식뿐만 아니라 추구하는 분위기와 콘텐츠 스타일, 채널 추천 방식, 수입 정산 방법까지 모두 달랐습니다.

'오디오클립'은 전체적으로 디자인이 깔끔하며, 밀어주는 콘텐츠는 주로 교양이나 지식 관련이 많았습니다.

장점은 'N' 포털 사이트에서 운영되는 서비스라 메인에서도 팟캐스트를 추천해주기도 하고, 따로 광고 청취 없이 청취 수와 댓글 수에 따라 정산(구독자 수 1,000명 이상 충족 시)하여 매월 포인트로 지급된다는 점이었습니다.

'팟빵'은 다소 여러 콘텐츠가 막 있어 복잡해 보였지만 팟캐스트 이용자 수가 꽤 많았고, 밀어주는 콘텐츠는 주로 경제와 시사 관련이 많았습니다. 장점은 애플 팟캐스트에 동시 송출이 가능하고, 일정 기준 없이도 콘텐츠마다 붙는 광고비와 청취자의 후원금을 받을 수 있다는 점이었습니다. 단점은 광고비와 후원금을 정산받기가 쉽지 않다는 점이었죠. 광고는 팟빵에서 정확한 정보를 알려주지 않았지만 대략 광고를 모두 청취했을 때 몇 원 단위로 측정되는 것 같았습니다. (거기에서 30%를 떼 가고요)

인기 많은 채널이 아니고서야 수익이 되기는 쉽지 않았고, 후원금도 열렬한 팬이 아니고서야 받기엔 어려웠죠. 그래서 인기 팟캐스트 채널이 아니고서야 수익이 되지 않아 야심 차게 시작했다가 몇 개월 만에 업로드를 중단한 채널이 무수히 많았습니다. 한 팟캐스터는 꿋꿋하게 3~4년 동안 열심히 하고서야 적자를 면할 수 있었다고 말했습니다.

돈이야 초반에는 뭘 해도 받지 못했으니, 제게 팟캐스트는 소통 창구를 늘리는 매체였습니다. 그래서 '오디오클립'과 '팟빵'에 같이 오디오 콘텐츠를 매주 업로드하기로 했죠. 여기까지 '누가, 언제, 어디서, 무엇을'이 해결되었습니다. 제가, 지금, 두 플랫폼에서, 오디오 콘텐츠를 올리겠다. 그리고 제일 중요한 질문 두 가지, '어떻게, 왜'가 남았죠.

콘텐츠를 기획할 때 가장 중요한 질문이었습니다. 콘텐츠를 '어떤' 방식으로 만드느냐, 그리고 그것을 '왜' 하느냐. 콘텐츠의 목적과 의도, 대상이 명확해야 채널의 개성과 특징이 생기는 법이었습니다. (그걸 알면서 당신은 왜 헤맸는지! 궁금해하실 분도 있을 텐데, 명확하면 개성과 특징이 생긴다 했지, 잘 되고 무조건 빠르게 성공한다고는 안 했습니다,로 심심한 답변을 남기도록 하겠습니다)

우선 팟캐스트를 하고 싶은 이유가 있어야 했는데, 그때 속에서 하고 싶은 이야기가 잔뜩 있었습니다. 퇴사하고 좋아하는 라디오를 해나가는 크리에이터가 시행착오를 겪으며 고군분투하는 이야기 말이죠. 야심 차게 시작했지만, 뜻대로 되지 않아 이리 흔들리고, 저리 흔들려도 내일 또 라디오를 하려고 마음을 잡았던 이야기를 꺼내서 들려주고 싶었습니다. 이 이야기를 통해 좋아하는 일에 고군분투하는 분들이 공감과 위로를 얻고 힘이 되길 바라는 마음도 컸습니다. (나만 힘든 게 아니라는 사실을 알게 되면 혼자지만 같은 동료 느낌도 나고, 작게나마 위로와 힘이 되는 법이거든요)

육하원칙 질문이 모두 완성되니 기획서가 막힘없이 술

술 써지기 시작했습니다. '오디오클립'에 낼 팟캐스트 기획서를 만들고 1화 에피소드를 작성해 녹음했습니다. 유튜브에 라디오 콘텐츠를 녹음해 올렸던 경험이 쌓이니 팟캐스트 녹음은 조금 수월하게 진행됐습니다. (물론 더 듬어서 몇 번의 편집을 하긴 했지만요)

팟캐스트 기획서를 내고 1~2일 뒤에 작가로 승인됐다는 메일을 받았습니다. 그렇게 '오디오클립'과 '팟빵'에서 팟캐스트를 연재하게 되었습니다. 새롭게 시작할 이야기에 또 설레고 흥미로웠습니다. (그만 설레)

꾸준하고 성실하게 해나가기로는 어디 가서 꿇리지 않으니 매주 정해진 시간에 연재해나가기로 했습니다. 앞으로 저의 팟캐스트는 어떻게 될까요?

하루 만에
구독자 천 명이 늘었다

'시작이 반'이라는 말을 좋아합니다. 시작하기도 전에 수많은 고민과 걱정으로 행동에 나서지 않는 사람에게 큰 용기를 주는 말이죠. 그리고 실제로 시작하면 절반까지는 가기도 하고요. 그렇지만 반까지는 쉬운데 나머지 절반까지가 어렵습니다. 오르막길로 되어 있어 가는 도중 웃음기가 사라지죠.

그래도 이 말을 많은 사람이 좋아하고 공감하는 이유는, 시작만으로 얻는 '에너지'와 도전만으로 얻는 '기회'가 꽤 많은 영역을 차지하기 때문이라 생각합니다. 팟캐스트를 처음 개설하면 그 에너지를 밀어주기 위해 플랫폼에서 눈에 잘 보이는 곳에 '새로 나온 팟캐스트' 코너를 만들어 기회를 줍니다.

마치 서점의 신간 코너와 같은 셈이죠. 서점은 카테고리마다 분류되어 있지만, 팟캐스트는 카테고리나 채널의 소개도 없이 단순히 새로 만든 채널이라는 명목으로 묶여 있습니다. 그래서 홍보가 되는 동시에 약간의 치열한 경쟁을 치르게 됩니다. 제목과 표지만 나란히 진열된 그곳에서 새로운 것을 찾는 청취자에게 어필됩니다. 〈영화덕후의 리뷰〉, 〈좋은 부모가 되는 방법〉, 〈잠들기 전에 듣는 힐링 ASMR〉. 끌리는 제목과 표지 디자인을 보고 책을 집듯, 새로 나온 팟캐스트 코너에서도 청취자는 채널 이름과 썸네일을 보고 자신과 맞는지 혹은 흥미가 조금 생기는지 눈으로 둘러봅니다.

그래서 제목과 로고도 굉장히 중요합니다. 팟캐스트 성격을 나타내는 채널 이름으로 어필하고 썸네일 디자인으로 아이덴티티를 전달해야 하죠. 거기서 흥미가 조금 생긴다면 책을 살짝 펴서 내용을 훑어보듯, 팟캐스트 1화를 들어봅니다. 어떤 이야기를 하는지, 진행은 어떤지, 10분 내외로 듣고 결정합니다. (어쩌면 그보다 더 짧을 수도 있고요) 앞으로 들을지 말지, 구독할지 말지, 팟캐스트를 듣고 내 의견을 댓글로 적을지 말지까지요. 여기서 앞으로의 채널 성장 속도가 판가름 나기도 합니다. 구독자가 늘어나며 콘텐츠에 많은 댓글이 달릴 수 있고, 아니면 청취 수는 나오되 구독자가 늘지 않고 정체될 수 있죠. 그렇다면 저는 어느 쪽이었을까요.

팟캐스트를 처음 개설할 때 채널 이름을 고민하다 바로 떠오른 문장이 있었습니다. 〈좋아하는 일하면서 살고 있습니다〉 라디오를 메인 키워드로 앞세울 수 있었지만, 청취자층을 넓히려고 '좋아하는 일'로 포인트를 잡고 싶었습니다. 꼭 같은 분야가 아니더라도 프리랜서나 자영업자나 혼자서 좋아하는 일을 해나가는 사람들이 공감할 이야기라 생각했기 때문이죠. (또한 그때 당시 에세이 제목이 문장으로 된 게 유행이라서 비슷하게 어필해보려 했습니다) 채널 이름이 조금 흥미로웠는지 새로 나온 팟캐스트 채널에 뜬 후 청취자가 조금 생겼습니다. 1화를 듣고 본인의 경험에 대한 댓글, 저를 응원하는 댓글이 달리기도 했죠. 조금씩 늘어나는 구독자 수에 힘을 받아 매주 팟캐스트를 제작해 올렸습니다.

매주 에세이를 쓰니 지나온 감정과 기분, 상황을 차분하게 회상할 수 있어서 어딘가 모르게 마음이 홀가분해지는 느낌이 들었습니다. 또한, 팟캐스트를 듣고 좋아하는 일에 도전하는 많은 분이 위로와 공감을 얻고 같이 힘냈으면 하는 마음을 꾹꾹 담아 올렸는데, 좋은 반응을 보내주니 행복했죠.

슬프게도 행복은 잠깐이었습니다. 초반에 반응이 좋았던 팟캐스트는 점점 에피소드를 올릴수록 청취율이 떨어지고 아무 댓글이 달리지 않았습니다. 매주 같은 시간에 꾸준히 올렸는데, 반응이 점점 줄어드니 의심과 의구심이 들었습니다. 과연 내가 잘하고 있는 건가 의심이 들고, 이 콘텐츠를 기다려서 듣는 청취자가 있을까 의구심이 들었습니다. 주 2회 연재하던 방식을 주 1회로 줄였습니다. 고개를 갸웃거리면서도 계속 연재하니 두 번째 기회가 갑작스럽게 찾아왔습니다.

오디오클립과 팟빵 두 곳에서 모두 〈이달의 채널〉로 추천된 겁니다. 플랫폼 메인에 추천된 채널로 뜨니 갑자기 청취율과 구독자 수가 늘어나기 시작했습니다. 채널을 처음 알게 된 청취자가 생기고, 응원하는 댓글이 또 이어졌죠. 그간 의심과 의구심이 들어도 계속하길 잘했다는 생각이 들었고, 판단이 그리 틀리진 않았다는 걸 증명해준 것 같아 내심 안도했습니다. 다시 에너지를 얻어 마음을 다졌습니다.

계획하는 걸 좋아해 연간, 월간, 주간, 일간 목표를 설정하고 매일 하나씩 달성하는 맛으로 사는 스타일입니다. 팟캐스트에 열정을 다해 좋은 결과를 내고 싶어 목표를 설정했습니다. '올해 구독자 1,000명을 달성해보자.' 설정할 당시 구독자 수는 300명대 정도였습니다. 조금씩 느는 구속자 수 데이터를 기반으로 실현 가능한 목표를 설정했습니다. 2020년 연말, 1년 동안 라디오에 시간과 노력을 투자해 원하는 만큼 결과가 나오지 않으면 다시 직장인으로 돌아가자는 약속을 떠올렸습니다. 처음 계획했던 만큼 결과가 나오지 않았지만, 다시 직장인으로 돌아갈 수 없었습니다. 그간 열심히 해온 일이 있고, 나를 믿어주고 응원하는 청취자가 있으니 포기하지 않고 더 해내고 싶었습니다.

12월 31일, 희망찬 내년을 바라며 기분 좋은 마음으로 잠들었습니다. 다음날 1월 1일은 〈아침 깨워 줄리〉 라디오가 있었습니다. 여느 때처럼 알람 소리에 일어나 눈을 비비며 잠을 깨려 노력했습니다. 겨울이라 잠이 쉽게 달아나지 않아 스마트폰을 켰습니다. 스마트폰을 켜면 늘 확인하는 두 가지가 있습니다. 유튜브와 오디오클립 구독자 수 확인하기. 유튜브 구독자 수는 변함이 없었고, 오디오클립의 채널 페이지를 확인하는데 순간 보고도 믿기지 않는 화면이 보였습니다. '구독자 수 2,000명?'

불과 하루 전만 해도 300명 남짓하던 구독자 수가 하루 만에 1,000명 이상 늘어나 있었습니다. 믿기지 않아 페이지를 새로고침하고 또 새로 고쳐봤는데 화면은 같았습니다. 심지어 그 짧은 사이에 2~3명이 늘기도 했습니다. 어떻게 된 일인가 싶었지만 잠 깨는 데는 성공해 아침 라디오를 하러 갔습니다. 라디오가 끝나고 제대로 다시 확인해봤습니다. 그 사이에 구독자 50명 정도가 늘어 있었습니다. 이유를 알기 위해 플랫폼 페이지를 잘 살펴보니, 채널을 추천하면 혜택을 주는 이벤트를 진행하는 것이었습니다. 그중 하나가 제 채널이 있었는데, 유독 다른 채널보다 제 팟캐스트가 가장 인기를 끌었던 것입니다.

2021년 동안 구독자 1,000명 만드는 게 목표였는데 1월 1일 하루 만에 달성한 셈이 되었습니다. 드디어 일이 풀리는가 싶어 기분 좋았습니다. 시간이 될 때마다 처음 주식에 투자하는 사람처럼 스마트폰을 붙잡고 채널 페이지를 새로 고쳤습니다. 첫날 하루는 1,000명, 그다음 날도 1,000명, 그렇게 2~3주간 동안 짧은 사이에 구독자 8,000명이 넘었습니다. 물론 청취율과 응원하는 댓글도 늘었고요.

프리랜서가 가져야 할 자질 중에는 '인내심'이 크게 자리를 잡고 있을 겁니다. 프리랜서 에세이에도 꼭 인내심 이야기는 빠지지 않고 있었습니다. 어제는 흔들리고 오늘은 꿋꿋했다가 내일은 흔들리는 나날이 이어져도 자신을 붙잡고 전진해나가는 인내심 말이죠. 팟캐스트를 하며 인내심을 여러 번 확인하는 때가 왔지만 빛을 발하는 순간이 오나 싶었습니다. (앞서 말했듯, 행복은 오래가지 않는다는 걸 또 까먹었나 봅니다)

끈질김 뒤에 찾아오는 기회, 새로운 팟캐스트 제안

오디오북으로
들어보세요

아무리 맛있는 음식도 홍보하지 않으면 아무도 알아주지 않는 법. 콘텐츠 무한의 시대에 사는 요즘, 크리에이터에게도 홍보는 필수였습니다. 팟캐스트의 성장을 위해 라디오 청취자에게 콘텐츠를 홍보하고 알렸습니다. 말하자면 '온라인 전단'이라고 해야 할까요. 가만히 있기보다는 뭐라도 알리는 것이 좋겠다는 생각에 라디오 방송하면서 정보란과 채팅창에 팟캐스트 채널을 알렸습니다.

대중에게 팟캐스트를 홍보하며 느꼈던 점이 두 가지가 있습니다. 첫 번째는 전달은 글보다 말로 더욱 잘 된다는 것이었습니다. 요즘은 장문으로 된 글이나 기사 내용은 제대로 읽으려 하지 않고 제목과 첫 번째 단락 혹은 마지막 단락을 읽고 바로 댓글을 통해 콘텐츠를 빠르게 이해하려는 이용자가 많았습니다. 그래서 종종 댓글에서 작은 싸움도 숱하게 봤죠.

[아니, 누가 그런 짓을 했다는 거야?]

ㄴ[글에 옆 사람이라고 쓰여 있잖아요!]

ㄴ[아, 그렇네요. 못 봤어요.]

하물며 영상도 1.2배에서 2배속으로 보는 사람이 많아졌는데 말이죠. 라디오 방송할 때 버젓이 화면에 배너로 유튜브 채널 이름을 잘 띄게 올려놓았는데도 이렇게 물어보는 사람들이 많았습니다. [줄리님은 유튜브 하세요?]

그럴 때면 웃음이 나왔습니다. “아니, 이렇게 크게 빨간 글씨로 썼는데도 물어보시나요?” 웃으면서 대답하면 그제야 봤다는 말이 돌아왔습니다. 팟캐스트도 마찬가지였습니다. 항상 공지 사항이나 배너로 팟캐스트를 써 놔도 물어보는 사람이 있었습니다. [줄리님, 라디오 하시면 팟캐스트 안 하시나요? 한번 해보세요!] 한 번 더 웃음이 나오는 상황이었죠. “여기 팟캐스트 한다고 써 놨어요. 매주 올리고 있답니다.”

이용자가 글보다는 사진, 사진보다는 영상을 더 쉽게 이해하는 방식에 따라 그에 맞춰 홍보할 필요가 있다고 느꼈습니다. 확실히 말로 한 번 더 말하면 검색해서 찾아보는 행동이 이어졌습니다.

팟캐스트를 홍보하며 느꼈던 두 번째는 팟캐스트가 대

중에게 어떤 '취향'으로 느껴져 진입 장벽이 높다는 것입니다. [팟캐스트가 뭐예요? 처음 들어봐요] 팟캐스트를 모르는 사람도 많은 데다 사진이나 영상 없이 오로지 오디오 콘텐츠를 청취한다는 것이 소수의 마니아층이 즐기는 취향처럼 느껴지는지, 팟캐스트를 알려도 콘텐츠를 접하는 경로로 행동이 이어지지 않았습니다.

새로 팟캐스트를 알게 되어 유입되는 이용자는 많지 않고 글이나 사진, 영상처럼 2차 가공되어 전파가 쉽지 않은 형식이라 자연스레 팟캐스트는 청취를 좋아하는 이들 안에서 소비되는 '우물 안 개구리'처럼 느껴지기도 했습니다. 오디오 라이브 방송 플랫폼도 생기고, 오디오 콘텐츠를 도입하는 플랫폼도 많아지고, 오디오북의 인기도 많아졌다 하지만, 오디오 콘텐츠를 제작하고 운영하면서 이용자의 파이가 커지고 있다는 체감이 들진 않았습니다.

팟캐스트 콘텐츠는 쌓여가지만, 청취자는 줄어드는 상황에 이대로 연재해야 하는 게 맞는지 고민되었습니다. '콘텐츠 방향이 잘못되었으니 반응이 잇따르지 않는 게 당연한 게 아닐까.' 합리적인 의심에 콘텐츠를 분석해보고 한계점을 발견했습니다. 라디오 크리에이터로 고군분투하는 이야기는 좋은데, 소재의 한계와 같은 주제의 반복이니 지루하게 느껴질 것 같았습니다. 그래서 내 이야기 말고 매주 새로운 이야기를 할 수 있는 '좋아하는 일하는 사람의 이야기'를 시리즈로 해보기로 했습니다.

자료 조사해서 좋아하는 일에 포기하지 않고 성공한 사람의 사례를 정리해 매주 팟캐스트로 들려줬죠. 좋아하는 일에 열정과 에너지를 다해 몇 번의 시련이 찾아와도 이겨낸 사례를 찾고 읽으며 자극받기도 했습니다. 그렇게 몇 달간 꾸준히 두 번째 시리즈로 팟캐스트를 제작하다가 또 한 번 흔들리는 시기가 찾아왔습니다. 어떤 콘텐츠는 인기를 끌었지만 매주 연재할수록 반응이 또 줄어드는 것이었습니다. 또 한 번 정체된 상태에 방향을 잃은 것 같았습니다.

처음 방향을 되돌릴 때는 당연한 순서라 받아들였고, 두 번째에는 조금 고민이 되어도 다음을 위해 필요한 단계라 받아들였지만, 그 과정이 세 번이 되면 자신을 의심하며 쉽사리 되돌리지도 못하고 자리에 멈추게 됩니다.

팟캐스트 제작을 잠시 멈추고 다른 팟캐스트들을 들어봤습니다. 그러던 중, 인상 깊은 채널이 하나 눈에 들어왔습니다. 저도 꾸준함이라면 뒤지지 않는데, 어떤 크리에이터가 2년 넘게 매주 올린 채널을 보게 됐습니다. 성실하게 제작한 콘텐츠 개수가 많아 스크롤을 내리는 데 꽤 오래 걸려, 내리는 와중에 한 번 감탄했고 콘텐츠마다 분량이 1시간 내외에 매번 다른 게스트를 초대해 제작했다는 것에 대해 두 번 감탄했습니다. 심지어는 모든 콘텐츠의 평균 청취 수가 10회 내외였는데도 꾸준히 해나가고 있다는 것이 실로 대단했습니다. 1년 6개월 하면서 낮아지는 청취율로 고민하는 제가 무안해질 정도였죠. 이 사람의 건강한 정신을 본받아 청취율에 개의치 않고 계속 나아가기로 했습니다. (저도 못 할 건 없으니까요)

그 팟캐스트 덕분에 걸음에 힘이 실리게 됐습니다. 다시 원점으로 돌아가려고 스스로 질문을 던져봤죠. 왜 팟캐스트를 하는지, 팟캐스트 하면서 들었던 고민은 무엇인지, 앞으로 어떻게 하고 싶은지. 그 이야기를 솔직하게 꺼내 보는 것도 좋겠다 싶었습니다. 아무도 묻지 않았는데 혼자 질문하고 혼자 대답하는 셀프 Q&A를 만들어 올렸습니다. 제목은 이러합니다.

[셀프 Q&A : 좋아하는 팟캐스트, 지속할 수 있을까요?]

(궁금하신 분들은 지우지 않았으니 한번 들어보세요)

1년 6개월 동안 팟캐스트를 만드는 과정에서 느꼈던 마음을 속 시원하게 털어놨습니다. 며칠이 지나자 의외로 그 콘텐츠에 대한 반응이 좋게 나왔습니다. 다른 콘텐츠보다 청취율도 높고, 그간 댓글을 달지 않았던 구독자가 정성 담긴 조언도 해줬고요. 거기에 2주 뒤에 메일로 팟캐스트 제안이 왔습니다. 팟캐스트에 올린 '셀프 Q&A'를 듣고 연락을 줬다는 말에 유레카를 외쳤습니다. 좋아하는 팟캐스트, 지속할 수 있을까요? 라는 질문에 '그렇다'라는 답이 나온 것 같아 기뻤죠.

음악 플랫폼 'F'에서 새롭게 팟캐스트 콘텐츠를 도입하는데 제작할 크리에이터로 섭외하고 싶다는 제안이었습니다. 빠르게 답장을 보내 미팅 날짜를 잡았습니다.

미팅하기 전 어떤 팟캐스트를 제작하면 좋을지 아이디어를 고민해 준비했습니다. 그렇지 않아도 풀리지 않던 팟캐스트 길에 새로운 이정표가 생긴 것 같아 마음이 들뜨고 즐거웠습니다. 또한, 프리랜서에게 새로운 고정 수입이 생기는 것이 얼마나 축복인지요. 메일을 받고 신나 실시간 라디오에서 흥을 감추지 못하니, 한 청취자가 이렇게 메시지 했습니다.

[줄리님, 오늘 왜 저래요?]

미팅 당일, 'F' 건물 1층에 있는 카페에서 담당자와 만나 팟캐스트에 대한 회의를 진행했습니다. 팟캐스트에 대한 지식과 경험이 많은 담당자는 트렌디한 아이디어를 제안했습니다. 자신의 일상을 영상으로 제작해 올리는 '브이로그(vlog)'가 유행인 요즘 시대에 오디오 콘텐츠로도 일상을 들려줄 수 있는 오디오(Audio) 블로그(Blog)를 합쳐 'A-log'를 만들자고 했습니다. 생각지 못한 아이디어에 마침 일상 에세이를 쓰고 싶은 마음도 있어 'A-log' 콘셉트의 팟캐스트를 제작하기로 했죠.

미팅을 마치고 새로운 팟캐스트 작업할 생각에 신나 가벼운 발걸음으로 카페를 나왔습니다. 마중 나온 담당자가 제게 힘을 주듯 말했습니다.

"줄리님, 라디오 크리에이터가 많이 없는데 어떻게 보면 줄리님이 1호, 1세대가 될 수 있어요."

꾸준히 라디오 콘텐츠를 해나가려는 의지에 큰 점수를 준 칭찬이라 생각했습니다. (내심 좋기도 하면서 쑥스럽긴 했지만요) 많은 팟캐스트가 의기투합하여 시작해도 평균 6개월 이상을 가지 못하고 1년 이내에 중단되거나 사라지는 채널이 많습니다. 잘 되는 팟캐스트는 자리 잡을 수 있지만 그 자리 잡기까지 쉽지 않은 길이니, 중간에 포기하는 사람이 여럿이죠. 사실 저도 몇 번이고 방향을 잃어 어디로 가야 할지 몰라 주저하던 차에 한 번 더 걸어보니 새로운 길이 이어진 경우입니다.

저 역시 끝없는 의심과 회의감이 들었지만 포기하지 않고 계속 앞으로 나아갔습니다. 방향은 달라져도 새로운 길이 이어졌죠. 어쩌면 새로운 길은 그동안 걸어왔던 경험과 그 과정에서 다져진 근육으로 닿을 수 있었던 것 같습니다.

항상 기회는 기나긴 끈질김 뒤에 오는 것인지도 모르겠습니다. 그러니 저는 앞으로도 계속 끈질기게 라디오 크리에이터 해보렵니다. 그 끝에는 또 어떤 기회가 찾아오게 될까요.

안녕, 나의
팟캐스트 하루

2021년 12월부터 음악 플랫폼 'F'에서 〈안녕, 나의 하루〉 팟캐스트를 시작했습니다. DJ줄리의 단단한 일상 에세이를 담은 'A-log' 팟캐스트로, 매주 수요일마다 연재했죠. 아침에 활기찬 마음으로 하루를 맞이하는 방법, 출근길을 효율적으로 보내는 방법, 퇴근 후 나만의 시간을 가지는 방법 등을 에피소드별로 나눠 이야기했습니다.

매주 주제를 정해 에세이를 쓰고 내레이션한 녹음 파일을 'F'에 보내면, 내용에 맞는 효과음과 적절한 음악을 전문가가 편집해 올렸습니다. 전문가의 손길을 거친 완성된 팟캐스트는 확실히 달랐습니다. 완성된 파일을 올리기 전 먼저 받아 들어봤는데, 잔잔한 음성에 리듬감과 입체감이 더해져, 듣기만 해도 같은 공간에 있는 것 같아

놀라웠죠.

"진짜 좋네요. 효과음도 음악도 멋있어요."

완성 파일을 받을 때마다 좋은 반응이 절로 나왔습니다. 만약 혼자 기획했으면 에세이 쓰고 녹음까지는 했어도 같은 결과를 만들어낼 수 없었을 겁니다. 혼자 배를 타고 노를 저어가면 힘이 들어 금방 지치기도 하고, 잔잔한 파도에도 방향을 쉽게 잃어 이리저리 방향을 틀면서 앞으로 가기까지 시간이 걸리죠. 여태까지 혼자 노를 저어왔다면 이번 팟캐스트는 같이 노를 저어 힘을 주니 배가 바른 방향으로 올곧게 뻗어나가는 것 같았습니다. 든든하고 또 튼튼했죠.

새로운 팟캐스트에 집중하고자 그간 해왔던 오디오클립과 팟빵에 올리던 콘텐츠는 잠시 중단했습니다. 〈안녕, 나의 하루〉는 'F'에만 연재하는 것으로 계약했고, 또 매주 에세이를 쓰고 녹음해야 하니 다른 팟캐스트를 제작할 여유가 되지 않아서였습니다.

선택과 집중. 팟캐스트는 한 곳만 선택해 그곳에 집중하기로 했습니다. 하나만 해도 매주 에세이를 쓰는 게 쉽진 않았습니다. 애초에 기획했던 시리즈를 다 쓰고 나니 그다음부터는 어떤 주제로 써야 할지 고민이 되었거든요. 요즘 사람들이 공감할 만한 주제는 무엇이 있을지, 어디를 많이 가는지, 어떤 감정을 갖고 고민을 하는지를 찾아보고 일상에서 에세이로 쓸만한 것은 무엇인지 곰곰이 내 주변을 돌아보기도 했습니다. 그 모든 소재를 다 쓰고 나면 가지고 있는 아이디어 주머니가 텅 비게 됩니다. 그러면 또 주변을 돌아보며 이런저런 콘텐츠를 뒤져보며 아이디어를 찾습니다. 그래도 번뜩 떠오르거나 와닿는 주제가 생각나지 않을 때가 있습니다. (아마 모든 창작자가 저와 같은 마음이지 않을까 싶은데요, 그렇죠?)

에세이를 써서 녹음해야 하는 시간은 정해져 있고, 매주 팟캐스트뿐만 아니라 다른 콘텐츠도 만들어야 하니 정해진 기한 내에 꼭 글을 써야 했습니다. 컴퓨터에 켜 놓은 하얀 문서를 뚫어지게 쳐다보며 아무런 글자도 입력하지 못하고 있을 때는 고개를 돌려 창밖을 잠시 쳐다보다가, 그래도 아무 생각이 나지 않으면 의자를 박차고 일어나 이리저리 작업실을 좀비처럼 돌아다닙니다. 괜히 창문을 열어 창밖의 공기 냄새를 마시고, 한가로운 낮 시간대에 거리를 걷는 사람 뒤를 눈으로 좇기도 하고, 가지고 있는 책장의 책 제목을 따라 읽기도 합니다. (뭐라도 찾아보겠다는 마음으로요)

작업실에서 도저히 소재가 떠오르지 않으면 블루투스 이어폰을 챙겨 들고 운동화 신고 동네 공원으로 갑니다. 운동 삼아 크게 공원 한 바퀴를 돌다 보면 좋은 생각이 불쑥 났습니다. 그렇게 걸음으로 아이디어를 얻고 돌아와 바로 에세이를 쓸 때도 있었고, 마감 기한 임박해서 다급하게 쓸 때도 있었죠.

팟캐스트를 하던 1년 동안 매주 빠지지 않고 연재했습니다. 혼자 여행을 가서도, 명절에 본가에 내려가서도 팟캐스트 제작하는 시간은 놓치지 않고 늘 약속을 지켰습니다. 그때그때의 이야기를 솔직하게 쓰다 보니 팟캐스트는 제 상태와 마음을 나타냈습니다. 작은 일에도 만족하며 마음이 평화로울 때는 이런 에세이가 나왔습니다.

「저는 수영을 좋아합니다.

조용한 물속에서 천천히 헤엄치면 그렇게 평화로울 수가 없어요. 평소에 하는 호흡도 물속에서는 조금 다르죠. 헤엄치기 위해 숨을 조금 참아야 하고, 적절한 때에 숨을 쉬어 줘야 하니깐요. 헤엄에 집중하다 보면 아무런 생각이 들지 않아 좋은 점도 있습니다.

평정심.

감정의 기복 없이 평안하고 고요한 마음. 저는 수영장에서 평정심을 느껴요. 저와 함께 헤엄치며 평정심을 찾아보실래요?

- 〈안녕, 나의 하루〉 25화 에피소드 中」

일이 뜻대로 되지 않아 지치고, 누적된 피로에 번아웃이 올 때는 그때의 상태와 마음을 담아 표현하기도 했습니다.

「일하는 것이 즐겁기도 하고, 더 잘 해내고 싶기도 한 마음에, 욕심에 나를 혹사할 때가 있습니다.

워라밸.

일과 삶의 균형을 잘 잡아야 건강하게 일할 수 있는데 말이죠. 가끔 몸과 마음에 쉴 여유가 없을 때는 한 번씩 자신을 돌아봅니다. 그리고 자신을 타이르기도 하죠.

'빠르게 하지 않아도 괜찮고, 급하지 않아도 충분히 시간은 있어.'

몸이 피로하거나 아플 때, 그리고 쉬고 싶을 때는 아무것도 하지 않고 쉬어도 괜찮다고 내게 말해줍니다. 눈을 감고 천천히 휴식을 즐기며 지친 몸을 달래줘야 합니다.

- 〈안녕, 나의 하루〉 35화 에피소드 中」

그래서 제목만 훑어보면 그때마다 일상이 어떠했는지 가늠할 수 있습니다. 솔직히 이야기해야 듣는 사람도 생생한 이야기로 와닿을 것으로 생각했고, 저 또한 그것이 후련하고 좋았거든요. 그렇게 〈안녕, 나의 하루〉는 솔직한 일상을 담은 팟캐스트가 되었습니다. 행복하고 즐거운 나날이 이어지다가도 지치고 피곤할 때 마음을 다스리고 힘든 상황을 버티고 이겨낸 이야기. 절반 이상 이후에는 'F'에서 일이 바빠져 제가 편집을 맡았습니다. 그러면서 담당자가 건넨 말이 기억이 납니다.

"줄리님, 지치지 마세요. 팟캐스트를 기다리고 응원하는 청취자가 있습니다."

그 말에 지치지 않고 꾸준히 1년까지 달릴 수 있었습니다. 검색창에 'DJ줄리'를 검색하면 프로필과 운영하는 콘텐츠들이 모두 나옵니다. 정말 가끔 검색해볼 때가 있는데, 〈안녕, 나의 하루〉를 연재하던 초반에 팟캐스트 채널을 소개하는 블로거의 글을 발견했습니다. 〈안녕, 나의 하루〉를 인상 깊게 들었고, 저의 일상에 공감해 그대로 따라 실천도 해봤다는 내용의 글이었습니다. 무려 4개의 글로 연재해 포스팅을 해줬더라고요. (제가 보고 좋아했다는 걸 그분은 모르시겠지만 큰 감동을 했습니다. 부디 그 글 지우지 마셔요)

이제는 팟캐스트 계약 1년이 끝나 잠시 재정비하는 중입니다. 그렇지만 팟캐스트를 통해서 하는 저의 이야기는 어디서든 멈추지 않을 겁니다. 오디오를 사랑하는 많은 사람이 매주 기다리는 팟캐스트가 될 수 있도록 또 준비해놓겠습니다. 안녕, 나의 팟캐스트 하루!

〈나만의 팟캐스트 제작 방법〉

이 글을 읽고 팟캐스트에 관심이 생긴 분들을 위해 팟캐스트 제작 방법을 알려 드리려 합니다. 저도 처음에 팟캐스트 시작할 때 누가 친절히 알려주지 않아 많이 헤맸던 경험이 있거든요. 여러분은 부디 헤매지 않길 바라며, 저만의 쉽게 팟캐스트 제작하는 방법을 소개할게요.

*준비물
: 컴퓨터, 마이크, 편집 프로그램
(저는 프리미어 프로로 편집을 했습니다)

*제작 방법
① 어떤 팟캐스트를 하고 싶은지 기획서를 작성한다.
② 기획을 바탕으로 녹음할 대본을 작성한다.
(처음 녹음하는 것이라면, 오프닝부터 클로징까지 대본을 적는 게 좋습니다)
③ 컴퓨터에 마이크를 설치하고 볼륨을 맞춘다.
④ 녹음 프로그램으로 오디오 콘텐츠를 녹음한다.
(스튜디오에서 녹음하면 좋지만, 소음이 없는 조용한 공간에서 녹음해도 괜찮습니다)

⑤ 녹음한 파일을 편집 프로그램에서 편집한다.

⑥ 오프닝 및 클로징에 적합한 음악과 효과음을 넣고 실수가 있는 부분은 들어내어 편하게 들릴 수 있게 편집한다.

* 평균 음량은 -6dB으로 맞춰주세요

⑦ MP3 오디오 파일로 만든다.

⑧ 팟캐스트 채널 아트와 썸네일을 만든다.

⑨ 플랫폼에 파일을 올리면 끝.

+팟캐스트 제작에 도움 되는 무료 저작권 사이트

① 무료 음원 사이트 : 그라폴리오

https://grafolio.naver.com/category/sound

(상업적 용도 사용이 가능하며, 콘텐츠 업로드 시 설명란에 저작권 사용 표기를 남겨야 합니다)

② 무료 디자인 사이트 : 미리캔버스

https://www.miricanvas.com

(팟캐스트 채널 아트와 썸네일을 만들 수 있는 디자인 툴 사이트로, 디자인 초보도 손쉽게 제작할 수 있습니다)

“

숫자에 연연하지 않아도 되는
오픈 라디오를 통해서
왜 라디오를 시작하게 되었고,
라디오를 통해 무엇을 하고 싶었는지,

처음 라디오를 시작하려 했던
과거의 저를 다시 꺼내 보게 되었습니다

”

Part 4 : 생생한 소통, 오픈 라디오

오픈 라디오를 들어보셨나요?

"줄리도 온라인에서 말고 오프라인으로 사람 만나서 라디오 하면 좋을 텐데."

예술 작가로 활동하고 있던 친구가 저를 보며 넌지시 말했습니다. 말의 뜻을 바로 이해하지 못했습니다. 라디오를 어떻게 오프라인에서 할 수 있을까. 라디오는 한 사람의 목소리를 여러 사람이 동시에 들을 수 있게 전파하는 건데, 오프라인에서 라디오를 할 수 있을지 상상되지 않았습니다.

"어떻게 오프라인에서 라디오를 해? 사람들 앉아 있고 내가 마이크로 얘기하는 걸 말하는 거야?"

종종 공중파 라디오에서 공개방송으로 야외에서 라디오를 진행하거나 공연을 진행하는 일이 있는데, 친구가

그걸 보고 말하는 건 줄 알았습니다. (만약 제가 그걸 하면, 사람이 아무도 안 올 텐데 말이죠)

"그게 아니라 부스에서 예술 작가 활동하는 것처럼 일대 일 라디오를 할 수도 있고."

자세히 들어보니 참여형 예술 작가 활동을 말한 것이었습니다. 친구가 예술 작가로 비슷한 활동을 하고 있어 뒤늦게 이해했는데, 아무래도 라디오 크리에이터인 제가 할 수 있는 범위는 아닌 것 같아 받아들이기 쉽지 않았습니다. 라디오를 어디서, 어떻게, 누구와? 물음표가 계속 남았습니다.

친구가 넌지시 꺼낸 말은 곧 우연한 기회로 닿았습니다. 다양한 예술 작가와 힐링 체험 행사를 운영·진행하는 한 곳에서 작가로 활동 제안을 받게 된 것입니다. 소속 작가로 활동하던 친구의 추천이었습니다.

"선생님이 작가로 활동할 사람을 찾길래 너를 추천했는데, 한번 해볼 생각 있어?"

도무지 머릿속으로 그려지지 않았던 오픈 라디오가 점점 형체가 되어 다가오고 있었습니다. 힐링 체험 행사는 행사형 부스에서 일대일로 예술 작가와 체험을 하는 활동이었습니다. 힐링이 필요한 아동부터 노인까지 다양한 공간에서 예술 활동으로 마음을 나누는 프로그램이었죠.

그곳에서 오픈 라디오를 진행할 모습을 떠올려봤습니다. 이름도 얼굴도 모르는 불특정 다수와 소통하는 온라인과 다르게, 오프라인으로는 이름과 얼굴을 마주한 특정한 소수와 소통하게 될 것이었습니다. 거리감이 느껴지는 온라인에 비해 오프라인은 물질적인 거리가 가까워 표정부터 목소리, 행동까지 모두 볼 수 있어 비언어적 소통까지 할 수 있을 것이었죠. 색다른 경험이기도 하고, 라디오로 다양한 활동을 해보고 싶은 마음이 들었습니다. "응, 나 해볼래."

그렇게 오픈 라디오를 시작하기로 했습니다. 하겠다고는 했지만 막상 어떻게 오픈 라디오를 진행해야 할지 자세한 그림이 그려지지 않았습니다. 부스에서 청취자와 마주하고 얘기하면 굳이 '라디오'가 아니라 그냥 대화가 되어버리는 건 아닐까. 그렇다면 어떻게 라디오의 형식을 가져가서 힐링 체험 행사로 만들 수 있을까, 구체적으로 그림을 그려봐야 했습니다.

"선생님과 미팅해서 아이디어 회의를 하다 보면 그림이 그려질 거야."

먼저 작가 경험을 해온 친구가 담담히 조언을 건넸습니다. 이후 기획자인 선생님과 미팅 날짜를 잡고, 미팅 전에 혼자 이런저런 아이디어를 생각해 준비했습니다. 먼저 사람들이 라디오를 하면 인식할 만한 키워드를 추출해봤습니다.

마이크, 신청 곡, 사연.

보통 '라디오'라 하면, DJ의 목소리가 마이크를 통해 전달되는 모습에, 청취자의 사연과 신청한 곡으로 소통하는 라디오를 떠올리는 편입니다. 특별한 라디오라고 너무 어려운 콘텐츠를 만들기보다는, 많은 사람이 흔히 인식하고 알아차릴 수 있는 라디오의 형태를 가져가는 게 좋을 것 같았습니다. 특히나 체험하는 대상이 어린이부터 노인까지 남녀노소를 불문하고 진행되는 터라 모두가 쉽게 이해할 수 있는 체험이어야 했죠. 거기에 마음을 읽어주는 체험 행사니 신청한 곡을 통해 편안한 소통을 나누는 게 좋을 것 같았습니다. 나이대가 다양하니 대화 주제를 정하기보다는 쉽게 소통할 수 있는 음악을 활용해 말문을 트는 게 좋을 것 같았죠.

온라인으로 무수히 많은 사람과 대화를 해본 경험해 본 바로는, 자신의 이야기를 조금도 하지 않으려는 사람이 많다는 걸 느꼈습니다. 온라인으로는 얼굴이 보이지 않으니 남자인지 여자인지, 연령대도 알 수 없어 대화하려면 그 사람에 대한 최소한의 정보가 필요했습니다. 요즘은 개인 정보가 워낙 유출이 잘 되다 보니 더욱 조심하는 경향이 있어서 사는 곳, 나이, 직업을 웬만해선 묻지 않습니다. 신상 정보 없이 낯선 사람과 편하게 대화할 수 있는 주제는 그리 많진 않았습니다. 제가 택한 건 이거였죠.

"좋아하는 관심사가 무엇인가요?"

누구나 쉽게 대답할 수 있는 질문으로 대화를 이어나

갔습니다. 그래서 오픈 라디오를 할 때도 낯선 사람과 대면해서 대화할 때 그 어떤 개인 정보도 털어놓기 어려워하는 사람은 분명 있을 테니, 쉽게 대답할 수 있는 질문이 필요하다 생각이 들었습니다. 신청 곡은 어떻게 좋아하게 됐는지, 평소에 음악을 어떻게 듣는지, 쉽게 꺼낼 수 있는 음악을 주제로 활용하기로 했습니다. 그러면서 자연스럽게 다른 주제로도 대화를 나누고 (학생이면 학교 관련해서, 2030대면 직업 관련해서, 4050대는 가족 관련해서) 대화에 맞는 추천곡을 마지막으로 들려주며 체험을 마무리하는 것으로 정리했습니다.

프로그램 콘텐츠와 구성이 정해졌으니 진행에 필요한 소품도 준비해야 했습니다. 큼지막하게는 DJ의 마이크와 청취자의 헤드폰, 그리고 음악을 틀 수 있는 노트북이 필요했죠. 부스에서 진행하는 오픈 라디오라면 DJ와 청취자와의 거리가 가까워 굳이 마이크를 쓰지 않아도 되겠지만, 열린 공간이라 마이크를 통해야 목소리가 또렷하게 잘 들리고 라디오의 느낌을 낼 수 있었으니까요. 청취자의 헤드폰에도 마이크가 있어 청취자의 목소리도 제가 들을 수 있게 하고요.

그 외에 자잘하게 참여에 필요한 여러 소품이 필요했습니다. 프로그램을 알려줄 작은 간판, 헤드폰을 담을 바구니, 참여 안내문, 두 개의 이어폰을 연결할 잭, 그리고 음악 신청서까지요.

핸드폰이 없던 시절, 라디오 DJ에게 직접 우편을 보내 사연과 신청 곡을 써서 보냈던 그때의 아날로그 감성을 살려, 오픈 라디오에서도 청취자가 종이에 신청 곡을 써서 DJ에게 주는 형식을 해보기로 했습니다. 기획자 선생님의 아이디어였습니다. 오픈 라디오이니 대면해서 바로 청취자가 말로 신청 곡을 해도 충분히 진행할 수 있었지만, 참여형 힐링 프로그램이니 손으로 천천히 써가면서 마음을 표현하고 저와 연결할 수 있는 하나의 수단을 만드는 게 좋았죠. 그래서 직접 포토샵으로 줄리의 라디오만의 음악 신청서를 만들었습니다.

[닉네임, 좋아하는 음악 장르, 듣고 싶은 음악, 하고 싶은 말]을 적을 수 있는 음악 신청서를 만들어 컬러 용지에 프린트해 가위로 손수 잘랐습니다. (오랜만에 머리가 아닌 손으로 일하니 꽤 즐겁더군요. 후후)

라디오 DJ로서 여러 음악에 대해 깊은 조예가 있진 않지만, 나름의 장점이라고 생각하는 부분은 음악 취향이 없다는 것입니다. 책, 영화, 방송 등 콘텐츠에 유독 취향이 있는 편이라 타인의 추천 받아도 잘 안 보고 좋아하는 것만 여러 번 보는 스타일이라 콘텐츠 편식이 심한 편이었죠. 그렇지만 음악에 있어서는 장르를 가리지 않고 모든 음악을 좋아하는 편이라 여러 장르로 추천할 음악들이 많았고, 청취자의 신청 곡도 장르 취향 없이 듣고 좋아했습니다.

처음 행사가 잡힌 곳은 한 문화재단에서 진행하는 축제였습니다. 근처에 초등학교가 있어 어린이가 많이 오겠지만 같이 오는 부모도 있을 테니, 다양한 연령층을 고려해 음악을 미리 준비해야 했습니다. 아이들이 자주 듣는 동요부터 10대들에게 인기 많은 아이돌 노래와 4050세대가 들을만한 발라드, 메시지를 전달할 수 있는 인디밴드 음악까지요.

이렇게 오픈 라디오의 모든 준비를 마쳤습니다. 온라인에서 메시지로 마주하던 청취자를 대면해서 콘텐츠를 진행한다니, 상상은 되도 경험해보지 않아 제대로 느껴지지 않았습니다. 과연 어떤 일이 생길지, 어떤 마음이 들지 궁금해하면서 첫 오픈 라디오 행사를 나갔습니다.

거리가 낙엽으로 물들었던 어느 가을, 부천의 한 축제에서 처음으로 오픈 라디오를 시작했습니다.

마음을 주고받는
일대일 라디오

오픈 라디오를 처음 시작한 곳은 한 문화재단에서 진행하는 축제였습니다. 시민들이 즐길 수 있는 재미난 이벤트와 프리마켓 상점들이 마련되어 있었고, 한쪽에는 다양한 예술 작가의 부스 공간을 마련해 남녀노소 체험에 참여할 수 있도록 해놨죠. 약속 시간에 맞춰 갔더니 한두 명씩 부스에서 행사를 진행할 준비를 하고 있었습니다.

안녕하세요, 보는 사람마다 친절하게 인사를 건넸습니다. 모두 낯선 사람이었지만 앞으로 작가로 활동하며 계속 마주칠 수 있는 인연이었기에 자연스럽게 친해지려 했습니다. 선생님이 부스 자리를 안내해줬습니다. 마치 동화에서 나오는 아이스크림 가게와 같이 둥글게 생긴 부스에 천막이 알록달록한 빛깔로 되어 있었습니다. 천막에는 큼지막한 글자로 '줄리의 라디오'라고 쓰여 있었습니다. 아기자기하고 귀여운 부스에 웃음이 나왔습니다. 가을이 거리를 따스하게 물든 계절, 부스 근처로 나무에서 떨어진 낙엽이 가득했습니다. 괜히 낙엽을 밟으며 현장에 적응하려고 했습니다.

노트북을 켜고 마이크와 헤드폰을 세팅하고, 음악 신청서와 추천곡 종이를 한쪽에 정리해놓고 행사를 진행할 준비를 마쳤습니다. 오전 11시부터 오후 4시까지 진행되는 행사였는데, 유동 인구가 많지 않은 곳이라 지나가는 사람이 그리 많지 않았습니다. 몇몇 시민들이 부스를 지나치긴 했으나 프리마켓 상점과 같이 있으니 유료 체험처럼 보였는지 눈으로는 관심을 두면서도 걸음을 멈추진 않았습니다. 눈으로 부스 공간을 훑느라 걸음을 느려지면서도 방향을 바꿔 부스 안으로 들어오려 하지 않았죠. 오해를 풀고자 큰 소리로 '무료예요'라고 말할 수도 없는 노릇이었고요. (체험은 원하는 사람 한해서 하는 것이었으니 무리해서 시민을 붙잡지 않아도 되었습니다. 그리고 작가들에게는 제작비가 지급되어 참여하는 시민들은 무료로 할 수 있었고요)

남녀노소가 호기심을 보였으나 어른은 참여를 주저했고, 아이들은 거침없이 해맑게 체험했습니다. "이거 뭐예요?" 한 아이가 노트북을 가리키며 체험을 하고 싶은 마음을 비쳤습니다.

“앉아서 같이 음악 듣고, 이야기 나눌 거예요. 좋아하는 노래 있어요?”

자연스럽게 아이에게 음악 신청서를 내밀었습니다. 7살 정도 되어 보이는 아이는 작은 손으로 이름과 신청 곡을 적었습니다. 그 이후로 몇몇 아이들과 오픈 라디오를 해본 결과, 예상치 못한 데이터가 만들어졌습니다.

예상하기로는 10대에게 인기 많은 가수는 아이돌, 아이유인 줄 알았는데 의외로 가장 많이 신청하는 곡은 이무진의 「신호등」이었습니다. 그날 「신호등」 노래만 8번은 들었던 것 같습니다. 아이들은 어찌 그 노래가 좋은지 노래를 들으면서 가사를 소리 내서 따라부르기도 했습니다.

또 하나 예상치 못한 데이터는 대화 주제였습니다. 보통 어른이 아이에게 하는 질문이라고는 ‘장래 희망이 무엇이니?’인데, 아직 꿈을 생각하기엔 이른 나이라 아이들은 큰 관심을 보이지 않았습니다. 아이들과 쉽게 대화를 하려면 학교에 대해 하는 것이 좋았습니다. 대다수 아이는 “가장 좋아하는 과목과 싫어하는 과목은 무엇인가요?”라는 질문에 빠르고 큰 목소리로 대답했습니다. 내향적이어서 입을 꾹 다물고 눈으로 끔뻑끔뻑 쳐다보기만 하는 아이도 곧잘 대답을 잘했죠. 이거다, 싶어서 이어서 학교 관련 질문을 하며 친해졌습니다.

순수한 아이들과 대화를 할 기회도 없었는데, 오픈 라디오를 하며 마음껏 대화할 수 있어서 좋았습니다. 한 아이의 장래 희망은 '호텔 사장'이라는 말에 재밌기도 했고, 친구끼리 세 명이 함께 체험하겠다며 온 아이들이 한 명이 듣고 있을 때 옆에서 헤드폰 겉으로 귀를 대보며 "무슨 음악이 들려?"라며 궁금해하는 모습도 귀여웠고요. 호기심이 많은 아이는 이내 노트북 하는 제 자리로 와서 어떻게 음악을 트는지 지켜보기도 했습니다.

라디오 감성을 좋아하는 50·60세대도 오픈 라디오에 다정한 관심을 보였습니다. "이거 음악 신청해서 듣는 그 라디오 맞아요?" 흔히 보지 못했던 오픈 라디오에 관심을 보여 자리에 앉는 어른도 있었습니다. 추억의 곡을 신청하고 대화도 진지하게 하며, 본인 삶의 가치관에 관해서도 이야기해주었고요. 마지막 마무리로 추천곡을 들려줄 때는 같이 눈을 감고 음악을 청취하며 감성을 공유하니 알 수 없는 기쁜 마음이 들었습니다.

"라디오 잘 들었습니다, 이렇게 음악을 들으니 정말 좋네요." 기분이 좋아졌다며 미소 짓는 사람의 얼굴을 보며 저 또한 따라서 미소 짓게 되었습니다.

마음은 나눌수록 더욱 커진다는 말을 마음으로 이해하게 된 순간이었습니다. 시간 가는 줄 모르고 체험을 하다 보니 어느새 행사가 끝날 시간이 왔습니다. 아직 더 놀고 싶은 어린아이들은 정리하는 부스 앞에서 자리를 떠나지 못하고 몸을 배배 꼬며 소품을 만지작거렸습니다. 더 하고 싶은 눈치를 귀엽게 전달하는 것이었습니다. 보통 일하는 시간이 끝나면 바로 집 가고 싶을 텐데, 미련이 남은 어린아이를 보니 자리를 금방 떠나지 못했습니다. 귀여운 아이들에게 위로의 스티커를 손등에 붙여줬습니다. (스티커를 받고 아이들은 미련 없이 갔습니다. 가야 할 때가 언제인가를 분명히 알고 가는 이의 뒷모습은 얼마나 아름다운가)

첫 오픈 라디오는 다양한 연령층의 순수한 마음을 음악으로 연결해 공유할 수 있었던 경험이었습니다. 부스를 정리하며 행복하고 따뜻한 감정이 들었습니다. 이전에는 라디오를 하며 늘 숫자로 평가받아 늘지 않는 숫자에 스트레스를 받으며, 좋아하는 일 하면서 자신을 피곤하게 옥죄기도 했습니다. 그러다 오픈 라디오를 하며 오랜만에 숫자에서 벗어나 라디오를 하는 목적에만 집중할 수 있어서, 좋아하는 일을 더 좋아하게 될 수 있었습니다.

온라인에서도 충분히 라디오의 목적을 달성한 순간이 많았지만 늘 따라붙는 숫자로 그 행복을 고스란히 느끼기 어려웠습니다. 숫자에 연연하지 않아도 되는 오픈 라디오를 통해서 왜 라디오를 시작하게 되었고, 라디오를 통해 무엇을 하고 싶었는지, 처음 라디오를 시작하려 했던 과거의 저를 다시 꺼내 보게 되었습니다.

5세 어린이부터
90세 어르신까지

오디오북으로
들어보세요

첫 오픈 라디오 이후 잡히는 행사마다 참여했습니다. "줄리, 금요일 낮에 행사 참여 가능해요?" 기획자 선생님의 연락에 무조건 된다고 답했습니다. 오픈 라디오 체험이 재밌기도 했고 프리랜서는 물이 들어올 때 온 에너지를 바쳐 노를 저어야 했으니까요. (언제 일이 끊길지 모르는 프리랜서의 삶입니다)

처음은 시민을 대상으로 했고 그 이후부터는 특정한 대상으로 진행되는 행사가 들어왔습니다. 꼬꼬마 어린이들만 방문하는 어린이 도서관, 80·90세 어르신이 있는 요양병원, 저소득층을 위해 무료 봉사를 하는 성당까지 다양했습니다. 그래서 행사마다 준비해야 하는 것이 조금씩 달랐습니다.

우선 어린이 도서관에 갈 때는 집중력이 짧은 아이들을 위해 손으로 누르는 장난감과 스티커를 챙겼습니다. 첫 오픈 라디오에서 몇 명의 어린이들이 음악을 듣는 3분도 지루해하는 걸 느꼈거든요. 30초에서 1분 동안만 집중해서 듣고 이내는 다른 곳을 쳐다보며 음악이 끝나길 기다리는 모습을 봤습니다. 아이들이 조금이나마 지루하지 않았으면 해서 장난감이나 스티커를 비장의 무기로 쓰려고 챙겼죠.

장소에 도착해서는 어린이를 위한 음악을 미리 선곡해놨습니다. 동요부터 지난 행사에서 어린이들에게 인기가 많았던 이무진의 「신호등」과 「과제곡(교수님 죄송합니다)」을 넣어놨습니다. 아이를 좋아하는 제게 어린이 대상 행사는 매번 즐거웠습니다. 본인 얼굴보다 큰 헤드폰을 쓰고 똘똘한 눈빛으로 쳐다보며 한 곡을 듣고 나면 또 다른 곡을 듣고 싶다며 냉큼 신청 곡을 말하는 어린이를 볼 때는 웃음이 절로 나왔습니다.

엄마의 손을 잡고 참여한 5살 어린이의 신청 곡은 「한국을 빛낸 100명의 위인」이었습니다. 음악이 나오자마자 큰 소리로 가사를 따라불렀습니다. "아름다운 이 땅에 금수강산에!" 옆에 있던 어머니와 저는 일명 '엄마 미소'를 지으며 노래를 부르는 아이를 바라보았죠. 음악이 끝나고 손뼉을 치니 바로 다음 곡도 있다며 신청했습니다. (잊을 수 없는 귀엽고 당당한 꼬마였습니다)

내향형인 어린이들은 어른과의 대화에 조금 낯설어했지만, 비장의 무기 '좋아하는 과목과 싫어하는 과목' 질문을 하며 조금씩 마음의 문을 열었습니다. 보통 어린이들이 집중력이 낮아 20분이 넘어가면 다른 체험을 하러 가는데, 한 어린이는 일어설 기미를 보이지 않고 계속 저를 뚫어지게 쳐다보며 다음 질문 또 없냐는 눈빛을 보냈습니다. 어린이 대상 오픈 라디오는 늘 엄마 미소를 짓게 하는 날이었습니다.

한번은 80·90세 어르신이 있는 요양병원에서 힐링 체험 행사를 진행했습니다. 어르신 대상은 처음이라 유명한 대중 트로트를 선곡해놨습니다. 장윤정, 나훈아, 남진, 홍진영, 임영웅 등 유명하고 인지도 많은 곡 위주로 넣어놓았는데 의외로 현장에서 가장 반응이 좋았던 건 「아리랑」이었습니다. 아리랑을 들을 때면 눈을 감고 가사를 따라 부르는 분도 있었고, 움직임이 힘든 한 어르신도 눈을 지그시 감고 아리랑과 민요가 좋다며 연속해서 10곡을 신청하기도 했습니다. 어떤 신청 곡을 할지 모르거나 제목이 떠오르지 않는 어르신이 있을 때면 자연스럽게 "아리랑을 들을까요?" 제안하면 바로 고개를 끄덕였습니다. (나름의 노련함이 생겼죠)

신청 곡을 듣기 전, 평소에 음악은 자주 듣는지 어떤 활동을 좋아하시는지 여쭤보면 돌아오는 대답은 '자는 것 말고는 없다'가 대다수라서 마음이 조금 먹먹했습니다. 몸이 아프니 움직일 수 없고, TV를 보려 해도 눈이 잘 보이지 않고 잘 안 들려서 재밌게 볼 수 있는 게 없다고 했습니다. 그런 어르신들에게 집중해서 음악을 듣는 오픈 라디오는 재미난 일이라고 했습니다. 처음에는 무표정으로 시큰둥하게 앉은 한 어르신은 트로트를 들으며 노래를 따라부르다가 노래가 끝나고는 나지막하게 한마디 했습니다. "여기 와서 이렇게 노니까 참 재미나네." 즐거워하는 어르신을 보니 뿌듯했습니다.

어떤 어르신은 오승근의 「내 나이가 어때서」를 좋아한다며 신청했는데 신나게 가사를 따라부르다가 이내 눈물을 보였습니다. "어이구, 정말 내 나이가 어때서. 괜스레 눈물이 나네요." 어르신의 눈물에 저도 마음이 동해 눈물이 나올 뻔했습니다.

눈을 지그시 감고 음악을 같이 감상하는 일은 꽤 감정 공유가 잘 되었습니다. 한번은 이런 일이 있었습니다. 어린이 대상 행사에서 같이 온 어머니가 오픈 라디오 체험을 했습니다. 귀여운 아이를 두고 있는 한 어머니는 일과 육아를 병행하기 힘들어 본인의 어머니께 아이를 종종 맡겼는데, 그 사이에서 몸과 마음이 지쳐 힘들다고 이야기를 했습니다. 체험 행사에 같이 손잡고 따라온 딸은 오픈 라디오를 체험하는 엄마 옆을 맴돌며 장난쳤습니다. "음악 뭐 나와?" 해맑게 행사를 즐기는 아이를 보고 있자니 왠지 모르게 체험하는 어머니의 마음이 이해됐습니다.

대화하면서 양희은의 「엄마가 딸에게」가 생각났습니다. 마지막 DJ 추천곡으로 그 음악을 같이 눈감고 들었는데 공감되면서도 슬픈 가사에 저도 모르게 눈물이 살짝 나왔습니다. 음악이 끝나고 눈을 떠보니 체험을 하는 어머니 눈에도 눈물이 고여있었습니다. 음악으로 감정이 공유되고 대화로 마음의 소통이 되는 오픈 라디오였습니다.

행사는 매번 다른 곳에서 진행되고, 또 섭외되는 작가들도 다릅니다. 그렇게 지나쳐간 인연이 꽤 많은데, 그중에는 제 유튜브 채널에 와서 댓글을 달아 물어본 사람도 있습니다.

[그때 행사에서 라디오 하신 분 맞나요? 기억에 남아서요]

한번 만나 지나쳐간 인연을 두 번째 마주하게 되면 라디오 하길 잘했다는 생각이 듭니다. 만남 사이에 라디오가 있어서 두 번의 인연이 되었으니까요. '라디오 하길 잘했어'라는 생각이 들 때마다 행복하고 또 행복합니다. (행복을 다른 말로 표현할 수 있을까요)

아이와 만날 기회가 별로 없는 제겐, 어린이 대상 체험이 늘 기다려집니다. 체험이 재밌다며 해맑게 방방 뛰는 아이들을 언제 또 볼 수 있을까요.

[처음 본 사람과 대화하는 방법]

네가 뭔데 대화하는 방법을 알려주냐 마냐 할 수 있겠지만, 나름 첫 만남에서 '줄리님과 대화를 하니 참 편하네요'라는 말을 다수 들어본 사람으로서 독자 중 누군가는 궁금해할 수 있으니 적어봅니다. 남녀노소 다수와 대화를 편하게 하는 저의 대화 방식이 궁금하다면, 저만의 방법을 적어봅니다. (궁금하다고 말해주세요)

① 가까운 정보로 말문을 틉니다

처음 본 사람을 만났을 때, 가장 가까운 정보로 질문을 시작하는 거예요. 예를 들면 오픈 라디오를 하러 간 곳이 도서관이면 "도서관에는 자주 오나요?"라는 현재와 가까운 정보로 상대방이 편하게 답할 수 있는 질문을 합니다.

② 상대방의 대화 속도를 파악합니다

낯선 사람과도 쉽게 대화하는 외향형인지, 낯가려서 말을 아끼는 내향형인지 대화하는 속도를 파악합니다. 상대방의 대답이 짧으면 나의 이야기로 대화를 채우고, 이야기 끝에 상대방에게 질문을 던져 대화를 이어나갑니다. 상대방의 대화가 길어지면 중간에 질문을 던지며 대화가 깊어지도록 합니다.

③ 질문은 양보다 질

여러 가지 질문은 대화를 혼란스럽게 하기도 합니다. 상대방이 가장 흥미로워하는 대화 주제에서 깊은 질문을 던지며 이어가는 것이 좋습니다. 예를 들어 여행 관련 대화에서는 "어디 여행하셨어요? 혼자 여행도 가보셨나요?"처럼 짧게 '예, 아니요'로 답할 수 있는 질문보다는 "여행할 때 가장 좋았던 건 뭐예요?" 상대방이 자유롭게 답변할 수 있는 질문을 하는 것이 좋습니다.

④ 나의 이야기로 공감을 끌어냅니다

앞선 세 가지 방법으로도 처음 본 사람이라며 마음을 안 여는 사람도 있습니다. 낯을 많이 가리는 사람에게는 공감할 수 있는 나의 이야기를 꺼내 대화를 틉니다. 그러면서 감정 공유하며 마음을 편히 털어놓을 수 있는 분위기를 만들죠.

⑤ 정적이 흐를 때도 여유롭게

모든 사람과 대화를 잘 해낼 수는 없습니다. 대화나 관심사가 잘 안 맞아 대화가 끊겨 정적이 흐를 때도 있죠. 그럴 때 그 정적을 채우려고 아무 말이나 하다 보면 대화는 산으로 가게 됩니다. 심지어 상대방도 '당신 아무 말이나 하고 있군요'라고 느낄 것이고요. 대화에서 정적이 흐를 수 있으니 여유롭게 정적의 시간을 두는 것도 좋습니다.

P.S 대화할 때 비율은 5대 5가 가장 좋다고 봅니다.

“

여전히 해보지 않아
도전해야 할 일들이 많습니다.

당장은 눈에 보이지 않지만,
점점 경험을 쌓아갈수록
도전할 기회가 하나둘 생기고

저만의 영역을 넓혀나가겠죠.

”

Part 5 : N잡러 라디오 크리에이터

직장 때부터 시작한 프리랜서

"줄리야, 쉬엄쉬엄해. 그래도 돼."

엄마는 퇴근 후 투잡(Two job) 해야 한다며 제대로 쉬지 못하는 저를 안타까워했습니다. 소파에 쓰러지듯 누우며 30분 뒤에 깨워달라고 부탁했더니, 엄마는 깨우지도 재우지도 못했습니다. 너무 피곤하면 투잡 그만해, 엄마는 딸의 건강을 생각하며 한두 번 일을 줄이길 권유했습니다. 그런 말을 들을 때마다 한결같이 괜찮다고 대답했습니다. 일 년 중 한두 번만 피곤하지, 평소에는 퇴근 후 시간이 남으니 알차게 활용해 일을 더 하고 싶었거든요.

투잡을 했던 건, 일과 돈 욕심 때문이었습니다. 돈 버는 기회가 있으면 버는 게 좋다고 생각했고, 일하고 나면 하루를 마칠 때 보람찬 성취감도 느꼈거든요. 어쩌면 자식은 부모의 행동을 닮는다고, 어릴 때부터 일을 좋아하던 엄마를 보고 자란 이유도 있었을 겁니다.

자영업을 29년간 해온 엄마는 사장으로서 늘 책임감 있게, 누구보다 성실하게 일해왔습니다. 아침 일찍 일어나 출근하고 늦게 퇴근하며 휴식 시간을 짧게 가져도 불평불만 없이 다음날 아무렇지도 않게 일하는 사람이었습니다. 한 번도 쉬지 않고 일한 엄마가 새삼 대단하게 느껴져, 한편으로 궁금해졌습니다.

"엄마는 한 번도 일하기 싫었던 적 없어? 출근하기 귀찮다거나."

그랬더니, 엄마는 어이없다는 듯 피식 웃으며 대답했습니다. 없어, 그런 마음 가지게 되면 더 일하기 싫어질걸. 엄마는 부모로서 책임감으로 일하는 것보다 일 자체를 좋아하는 사람이었습니다. 그런 엄마와 깊은 유대관계를 가지며 자라다 보니 저도 모르게 일에 대한 욕심이 생긴 것일 수 있고, 아니면 엄마와 같은 DNA를 가졌는지도 모르겠습니다.

물론 돈에 대한 욕심도 있었고요. 사회초년생 때 들어간 회사는 작은 회사라 연봉이 많지 않아 월급에 만족하지 못했습니다. 퇴근 후 남는 시간에 투잡으로 고등학생 과외를 9개월 정도 했고, 이후에는 건당으로 받아 일하는 문서 작성 아르바이트, 그다음은 매달 고정적으로 일하는 콘텐츠 작성 아르바이트를 해오며 직장인 시절 내내 투잡을 해왔습니다. 잠시 투잡을 못하는 상황, 그러니까 일이 없어 못 할 때는 퇴근 후 남는 시간이 덩그러니 크게 느껴졌고 이렇게 쉬어도 되나 싶은 마음이 들었습니다. 가끔은 퇴근 후 피로에 투잡을 하기가 벅찰 때도 있었지만 일이 없을 때보다 일하는 날이 더 활기차고 삶의 만족도가 높았습니다. 그러니 저의 투잡은 일과 돈에 대한 욕심이자 하루를 보람차게 살기 위한 수단이었죠.

엄마는 쉬엄쉬엄 살아도 된다고 했지만 직장인 때부터 투잡을 하며 알차게 살아온 날이 쌓이고 쌓여, 현재의 프리랜서 생활을 도운 것 같습니다. 주도적으로 계획 세워 일하고, 체력이 부쳐 힘들 때도 있지만 굴하지 않고 약속 시간에 맞춰 일을 끝내며, 일이 없으면 찾아 나서는 행동이 프리랜서와 잘 맞는 성격이라는 걸 깨달았습니다. 물론 프리랜서는 이래야 한다는 정답은 없습니다. 어떻게든 개인의 방식을 만들어 가면 되는 거죠.

프리랜서가 되기 전, 프리랜서 에세이를 많이 읽었습니다. 많은 프리랜서가 꼽은 프리랜서가 갖춰야 할 태도에는 '성실함'과 '불안해도 이겨내는 마음'이 있었습니다. 저도 프리랜서를 3년 이상 해오니 그 두 가지에 큰 공감을 합니다. 거기에 한 가지, '꿋꿋하게 일을 찾아 나서는 끈질긴 마음'을 덧붙이고 싶습니다. 프로젝트에서 떨어지고, 계약이 끝나 수입이 끊기고, 하는 일이 잘 풀리지 않아 변변치 않아도 마음을 추스르고 또 새로운 일을 찾는 일. 저는 그렇게 다양한 외주 업무를 찾아 일했습니다.

라디오 크리에이터라는, 어떻게 보면 한계가 있는 직업에서 어떤 일을 찾아 '나의 일'로 만들 수 있을까 고민했습니다. 그렇게 하나씩 일을 따낸 이야기를 해드리겠습니다.

영상 제작 의뢰가 들어왔다

프리랜서에겐 검색이 생명입니다. 검색을 통해 프리랜서의 생명이 연장되는 '일'을 따낼 수 있으니까요. 어디서 누가 친절하게 어깨를 톡톡 두드리고 '줄리님께 딱 맞는 지원사업과 프로젝트가 있으니 어서 신청해보세요'라고 알려주면 좋으련만 그런 상황을 바랄 수는 없습니다. 아침에 일찍 일어나는 새가 먹이를 먹고, 검색은 많이 하는 프리랜서에겐 일이 생긴다는 말을 아시나요.

물론 검색해서 맞는 지원사업이나 프로젝트를 찾는다고 해서 다 일이 되진 않지만, 많이 시도해볼수록 따내는 확률은 높아지는 법입니다. 저는 매일 컴퓨터를 켤 때마다 프로젝트 공고를 확인하진 않지만, 종종 인터넷 즐겨찾기에 넣어놓은 지원사업 관련 정보 사이트를 들여다봤습니다. 그렇게 봐도 뒤늦게 생각나 검색했을 때 이미 지난 공고가 꽤 있었죠. (이걸 왜 지금 봤지! 해봤자 달라지는 건 없지만요. 땡! 다음 기회에)

프리랜서를 시작한 지 얼마 안 됐을 때는 경험이 많지 않으니 크게 시도해보려 해도 방법을 잘 모릅니다. '모르는 건, 돈 주고 배워보세요.' 하고 온·오프라인 학원이 넘쳐나지만 고정된 수입이 없는 상황에서는 해맑게 학원 다닐 마음도 주저하게 되죠. 그래서 저와 같은 크리에이터 프리랜서를 위해 도와주겠다고 발 벗고 나서주는 정부 지원사업이 많습니다. 요즘 크리에이터라는 직업이 인기가 많아지니 크리에이터를 위한 지원사업도 꽤 많아진 것입니다.

퇴사 후 프리랜서가 된 지 두 달 때쯤, 오래 프리랜서를 해온 친구가 메시지로 링크를 하나 보내줬습니다. 크리에이터를 위한 지원사업이었습니다.

"줄리야, 이거 도전해봐. 너한테 딱 맞는 지원사업이다."

지원사업을 많이 해왔던 친구가 모집 시기에 맞춰 정보를 알려줬습니다. (역시 프리랜서 동료를 두면 좋습니다) 그때부터 크리에이터를 위한 지원사업이 다양하고 많다는 걸 알았습니다. 처음 친구가 추천해 무작정 넣었던 지원사업은 최종 2차에서 떨어졌습니다. 그 이후 낙심하지 말고 다른 프로젝트도 따내자는 마음으로 정보를 알려주는 소식지를 구독해 받은 메일마다 내용을 모두 확인했습니다. 그러다 유튜브 크리에이터를 위한 프로젝트 공고를 하나 발견했죠. 유튜브 채널 컨설팅을 해주고, 관련 세미나 강의도 해주며, 우수 크리에이터에게는 다양한 혜택을 주는 프로젝트였습니다. 이번에는 놓치지 않을 것을 다짐하며 침착하게 지원했습니다.

얼마 후, 최종 참가자로 선정되었다는 합격 소식을 들었습니다. 매주 1회씩 크리에이터 관련 수업을 진행했는데, 가장 필요했던 수업은 '채널 컨설팅'이었습니다.

[줄리님, 목소리 진짜 좋네요!]

청취자에게 이런 말을 수 없이도 들으면서 내심 기분이 좋았지만, 그런 메시지를 보내온 대다수 이용자는 영문을 모르게 제 목소리를 두 번 들으려 하지 않았습니다. (그 말을 하고 나서 곧바로 나간 사람도 있었고요)

한번은 진심으로 궁금해 물어봤습니다. 처음 목소리를 들은 한 청취자가 목소리 칭찬을 한 뒤에 자연스레 나가려고 하는 느낌이 들어 붙잡고 물어봤죠. "목소리 좋다면서 왜 목소리 더 안 들으세요?" 그랬더니 청취자는 어떻게 나가려는지 알았냐며 놀라면서 당황해했습니다. 그리고는 이내 솔직한 대답을 해줬죠. 목소리는 정말 좋지만, 라디오 분위기가 차분해서 자기와는 맞지 않다는 겁니다. 물론 차분하고 진심으로 소통하는 제 라디오 분위기를 좋아하는 분도 많았습니다. 모두 각자 스타일이 다르지만 대체로 자극적이지 않은 라디오 콘텐츠에 목소리 칭찬만 남기고 떠난 것 같았죠. 한편으로는 가지고 있는 목소리를 잘 활용하지 못하고 있어 회의감이 들었습니다. 그러면서 자연스레 단순히 목소리가 좋다는 칭찬이 그렇게 달갑게만 들리지 않았고요. 어서 컨설팅 수업이 오길 기다렸습니다.

한창 코로나 이슈로 비대면으로 모든 강의와 컨설팅을 진행했습니다. 강사가 한 사람씩 화면에 유튜브 채널을 띄어놓고 컨설팅을 해줬죠. 전문 컨설턴트였던 강사는 개인에게 맞는 컨설팅을 잘 해줬습니다. 앞서 컨설팅을 받는 사람들을 보며 과연 내가 받을 조언을 무엇일지 궁금해졌죠. 드디어 차례가 왔고, 자기소개와 채널 소개 그리고 앞으로 콘텐츠 계획 방향을 발표했습니다. 발표가 끝나고 컨설턴트의 조언을 기다렸습니다. 과연, 과연.

"음, 줄리님은 뭔가 이야기가 더 필요해 보여요. 무엇을 하는 라디오 DJ, 이런 타이틀을 가지는 것도 좋겠어요."

맞는 말이었습니다. 요즘은 너나 나나 할 것 없이 다니던 직장 퇴사 후 좋아하는 일을 하겠다며 도전하는 사람이 많았고, 저도 그와 같이 크게 다를 바 없는 이야기였죠. 그저 좋아하는 일이 '라디오 크리에이터'였을 뿐이었고요. 그러니 뭔가 독특한 이미지를 만들 수 있는 '무엇을 하는 라디오 DJ'라는 조언을 해줬던 것 같습니다.

"네, 맞아요. 그럼 어떤 것으로 잡고 가면 좋을까요?"

제 질문에 컨설턴트는 조금 고민을 해보다 이렇게 대답했습니다.

"글을 쓰셨다고 하니, 책을 내보시는 건 어때요, 작가이자 라디오 DJ인 줄리."

그 대답을 듣고는 더 혼란스러웠습니다. 그렇지 않아도 라디오를 한 지 1년이 되었을 시점에 출판에 관심이 많아 '좋아하는 라디오 DJ에 도전하는 고군분투 이야기'를 주제로 잡아 에세이를 내고 싶었거든요. 출판기획서와 원고 세 꼭지를 작성해 성격이 맞는 출판사 10곳에 투고를 했고, 모두 한마음 한뜻으로 '원고는 좋은데 저희와는 맞지 않습니다'로 답변이 왔습니다. 에세이를 낸 출판사 10곳에 더 투고해도 같은 답변을 받았습니다. 그러니 책을 내 보는 건 어때요, 라는 제안에 '해보려 했는데 안 되던걸요' 하고 말할 수 없었습니다.

"네, 조금 고민을 해보겠습니다."

이렇게 대답하니 어느새 강의 시간이 얼마 남지 않았다며 컨설팅이 마무리됐습니다. 듣고 싶었던 '목소리를 어떻게 활용할지'에 대한 컨설팅은 듣지 못했습니다. (역시 잘 차려놓은 밥상에 숟가락 하나 놓는 건 어렵습니다. 직접 밥상을 차려야 하는 수밖에요)

그 이후에 어떻게 콘셉트를 잡고 채널을 운영할지 고민하면서 강의를 열심히 듣고, 과제도 충실히 내면서 필요한 정보를 배우고 익혀갔습니다. 어느새 2~3개월간 걸친 크리에이터 프로젝트가 마무리할 시간이 되었고, 마지막 과제를 발표하며 정리하는 날을 가졌습니다. 마지막 날에는 우수 크리에이터 3명을 선발하고 상금과 혜택을 준다고 했습니다. 학창 시절 일탈 한번 하지 않았지만 그렇다고 모범생도 딱히 아니었던 (그저 도서관을 자주 가고 상상하기를 좋아했던 문학소녀인) 제게 우수생에 선발된다는 일은 조금 먼 이야기였죠. 나 말고 누군가 되겠지, 하는 마음으로 마지막 과제 발표를 하고 어서 시간이 끝나길 바랐습니다.

"자, 3등을 발표했고 이제 2등을 발표하겠습니다. 과연, 어떤 크리에이터가 될까요?"

진행자의 멘트에도 별 요동 없이 기다리고 있었는데, 예상치 못하게 화면에 [줄리의 라디오]가 띄어졌습니다.

"2등은 줄리의 라디오 팀입니다. 줄리님, 수상 소감 한마디 해주세요."

진행자의 안내에 살짝 놀라며 바로 수상 소감을 말했습니다. 영화제 시상식에서 주연상을 탄 배우가 늘 하던 수상 소감처럼 "어, 제가 2등 할지 몰랐는데. 이렇게 수상하게 되어서 기쁩니다."하고 말했습니다. (나중에 라디오 관련해 상을 받는다면, 이 영광을 라디오 잘해보라고 밀어준 우리 가족, 지인 그리고 늘 응원해준 청취자분들께 돌리고요. 앞으로도 성실하게 힐링을 주는 라디오 크리에이터로 최선

을 다하겠습니다, 하고 말하겠습니다. 그런 날이 올지는 모르겠지만요)

열심히 프로젝트에 참여한 결과였습니다. 이렇다 할 좋은 결과를 만들지는 못했지만, 성장을 위해 성실하게 노력한 과제들에 대한 평가라고 생각했습니다. 목소리를 어떻게 활용할지에 대한 고민을 더 이어졌지만, 우수 크리에이터로 선정되며 조금은 방향성이 보이기 시작했습니다.

이후 우수 크리에이터 시상식에 참석해 사진을 찍고, 상금도 받았습니다. 그리고 또 하나 크리에이터에게 콘텐츠 제작 의뢰를 맡기고 제작비를 지급하는 계약서도 썼습니다. 우수 크리에이터 대상 혜택이었죠. 프로그램으로 컨설팅받고 경험도 쌓으며, 상금도 받았는데, 영상 제작 일도 생기니 일거양득이었습니다.

그렇게 이후 프로그램을 진행한 곳에서 영상 제작을 의뢰했습니다. 이것도 프리랜서의 또 하나의 파이프라인이 생긴 셈이었죠. 영상은 제가 가진 특성을 활용해 내레이션이 들어간 홍보 콘텐츠로 제작했습니다. 물론 기간이 정해지고 횟수가 정해진 일이지만 프리랜서에게는 하나, 하나의 일이 쌓이고 쌓여 포트폴리오가 되고 다른 일로 이어지는 연결고리가 생길 수 있습니다.

그러니 어디서 어떤 일을 하게 될지 모르니, 오늘도 부지런히 검색해 봅니다. 타타닥.

크리에이터를 위한
정부 지원 사업 따내기

돌다리는 두들겨 보고 건너야 하고, 프리랜서는 구글에 검색을 한번 해보고 일해야 합니다. 딱 내게 필요한 지원 사업이 기다리고 있을지 모르기 때문이죠. 앞서 언급한 것처럼 필요한 지원 사업을 놓치지 않고자 무의식적으로 구글에 '크리에이터 지원 사업'을 검색합니다. 크리에이터를 위한 정부 지원 사업은 꽤 많습니다. 지역 주민을 대상으로 하는 크리에이터 무료 교육이 있고, 문화기관에서 진행하는 크리에이터 컨설팅 및 제작 지원 사업도 있으며, 편하게 들을 수 있는 온라인 강의 등 다양합니다.

유튜브를 시작하고 1~2년 차가 되었을 때, 편집 실력이 조금 늘었지만 그래도 실력은 부족하다고 느꼈습니다. 꼭 좋은 장비로만 해야 콘텐츠가 좋다는 건 아니지만 시청자가 보기 편한 영상을 만들 필요성도 있다고 판단했습니다. 늘 카메라 공부를 뒷전으로 미뤄왔다가 안 되겠다 싶어 '크리에이터 카메라 편집 교육'이 있기에 신청해서 강의를 들으러 갔습니다.

한 진흥원에서 진행하는 교육이었는데 신청자가 없었는지 도착해도 주위가 아주 조용했습니다. '설마, 내가 가장 먼저 도착한 모범생?'이라고 생각해 느긋하게 태블릿을 충전하며 기다렸는데, 갑자기 강사가 들어오더니 수업을 시작하겠다고 했습니다. 고개를 돌려 강의실을 두리번거렸는데 수강생은 저 혼자였습니다.

"저밖에, 없는 건가요?"

강사는 멋쩍게 웃으며 그렇다는 말을 대신하고는 강의를 시작했습니다. 기본적으로 DSLR, 미러리스 카메라를 어떻게 조작하는지 방법을 알려주고, 카메라 세팅을 어떻게 하면 좋은지 등의 방법을 쉽게 알려줬습니다. 강의가 끝나고 기관에서 무료로 대여 가능한 스튜디오도 보여주면서 어떻게 촬영할 수 있는지 실전 기술도 같이 배웠습니다. 유튜브를 막 시작하는 사람이라면 알아두기 좋은 정보였죠. (이런 좋은 교육도 있으니 초보 유튜버는 한 번 신청해서 들어보세요)

그다음으로는 한 진흥원에서 진행하는 '공익 크리에이터 지원사업'에 참여했습니다. 말 그대로 공익적인 정보를 제작할 유튜브 크리에이터를 지원하는 사업이었죠. 선정된 크리에이터는 500만 원의 영상 제작비를 받을 수 있는 지원 사업이었습니다. 제작비로 전문가를 섭외해 공익 정보를 만들고 싶었습니다.

제작비를 주는 지원 사업은 보통 3단계를 거쳐 선정됩니다. 1차로 기획안을 써서 신청하면 그중 가능성 있어 보이는 참가자를 선정하고, 2차로 PPT 발표나 면접을 통해 면접을 본 후에 3차로 최종 참가자를 선정합니다. 앞서 한번 지원 사업에 떨어졌을 때, 프리랜서를 오래 한 친구는 조언 하나를 해줬습니다.

"기획안을 쓸 때는 공고를 제대로 훑어봐야 해. 공고에 원하는 사람이 어떤 사람인지 잘 보면 나와 있거든."

한번 탈락의 고비를 맛본 후로 친구의 조언에 따라 공고문을 잘 분석했습니다. 지원 사업의 목적은 무엇인지, 어떤 참가자를 선정하는지, 어떤 결과를 원하는지를 분석한 뒤에 맞는 기획안을 작성했죠.

'공익적인 정보를 제공하는 크리에이터'

복지, 환경, 지역발전, 경제 등 사회에 도움이 되는 주제를 선정해 콘텐츠를 기획해야 했습니다. 라디오 콘텐츠, 라디오 크리에이터 브이로그가 있는 제 채널에 어떻게 공익 주제를 녹여내느냐가 관건이었습니다. 그러다 고심 끝에 하나의 콘셉트를 도출해냈습니다.

'혼자 일하는 프리랜서에게 도움이 될만한 경제 정보

를 제공하는 건 어떨까?'

채널과 공익 주제를 잘 연결해서 하나의 주제를 뽑았습니다. 이틀에 걸쳐 기획서를 작성하고, 신청서를 써서 제출했습니다. 며칠 뒤 1차에 합격하고, 이번에는 최종까지 가리라 다짐하며 본격 공들인 발표 자료를 만들었습니다.

발표 전날부터 발표를 어떻게 할지 시뮬레이션을 해보고, 당일 발표하러 가는 길에도 연습해보며 실수하지 않으려 노력했습니다. 2차 면접 장소에 가니 심사위원이 4~5명 정도 있었고, 미리 보내놓은 발표 자료가 큰 화면에 띄워져 있었습니다. 발표가 끝나고 질의응답에서 약간 부정적인 이야기가 나왔습니다.

"주제가 광범위해서 어떤 프리랜서를 위해서 하는지 대상을 좁혀야 할 것 같아요."

심사위원의 질문에 '크리에이터로 대상을 좁혀 진행하겠다'라고 답변했습니다. 며칠 뒤 최종 발표가 났다는 문자를 받고 홈페이지에 명단을 확인하러 갔습니다. 면접 때 부정적인 이야기를 들어 과연 합격할까 싶었는데, 최종 합격했습니다.

합격한 당일 신나서 종일 기운이 좋았습니다. 새로운 일을 할 수 있게 되어 기뻤죠. 가장 좋았던 건 제작비로 게스트를 섭외할 수 있다는 것이었습니다. 물론 사비로 출연자를 섭외해 좋은 콘텐츠를 만들 수 있으나 수익 창출이 안 나는 상황에 그렇게 할 마음의 여력도, 통장 잔액도 여유롭지 않았습니다. 그런 와중에 넉넉한 제작비를 주며 양질의 콘텐츠를 만들어보라는 자리를 마련해주니 크리에이터로 신나게 콘텐츠를 기획할 수 있었죠.

계획한 대로 차근차근 진행하면 수월할 것 같았으나 작업실에서 만들던 콘텐츠와 다른 형식이니 신경 써야 할 게 여간 많은 게 아니었습니다. 프리랜서를 위한 경제 정보로 총 세 개의 콘텐츠를 기획했습니다. 프리랜서의 세금 가이드, 계약 가이드, 정부 지원 사업 가이드. 내용은 정해졌으나 하나씩 준비하려면 단계가 필요했습니다.

먼저 섭외하기 전에 만들어놓아야 할 문서가 있었습니다. 어떤 내용을 질문할 것인지, 프리랜서에게 어떤 내용이 필요한지를 공부해 질문지를 작성해야 했습니다. 답변은 전문가가 해준다고 해도 저도 어느 정도 내용을 알고 있어야 질문이 수월하고 적절하게 진행할 수 있었죠. 프리랜서 세무 관련 책들을 모두 읽고, 인터넷으로 프리랜서가 많이 하는 질문들을 참고해 사전 질문지를 작성했습니다.

그다음 섭외를 하는 것도 만만치 않았습니다. 세무사는 매우 많으나 유튜브 출연에 동의하고, 촬영하는 스튜디오에서 멀지 않은 곳에서 일하는 데다, 유튜브 크리에이터나 프리랜서를 위한 세무 가이드를 알려줄 세무사 한 명을 찾기는 조금 어려웠습니다. 그러다 3명의 세무사를 찾았는데, 중요한 건 잘 찾아도 시간이나 출연료 관련해서 거절당할 일도 고려해야 한다는 것이었습니다. 나중에 깨달았지만 한 명씩 메일을 보내 거절 회신을 받으면 다음 사람에게 메일을 보내는 것이 좋았습니다. 어리석게도 처음인데다 빨리 섭외해야 해서, 동시에 3명에게 메일을 보냈는데 모두 촬영에 동의한다는 회신을 줘서 난감했습니다. 고민하다가 그중 한 명을 정해 촬영 관련 정보와 사전 질문지를 보내 진행하기로 했고, 나머지 2명에게는 최대한 정중하게 다음에 또 섭외를 요청하겠다는 메일을 보냈습니다.

세무사가 섭외되고 나서는 당일 촬영 진행할 대본을 미리 작성했습니다. 오프닝과 클로징에는 어떤 멘트를 할지, 전문가의 답변에 추가로 어떤 질문을 더 할 수 있을지 꼼꼼하게 살펴봤죠. 그리고 당일 세무사의 출연료 지급을 위해 작성해야 할 계약서도 만들었습니다. 프리랜서를 위한 공익 정보를 제공하는데, 계약서를 제대로 쓰지 않으면 크리에이터로서 윤리적이지 못할 것 같았습니다. (그리고 모든 업무에 계약서는 필요하고요)

당일 촬영할 스튜디오와 기기도 준비했습니다. 요즘은 크리에이터가 워낙 많아졌으니 공공기관에서 스튜디오를 만들어 기기까지 무료로 대여해주는 곳이 많았습니다. 그중 가장 괜찮은 곳을 정해 넉넉하게 준비하고 촬영하고 마무리하는 시간까지 고려해 공간을 예약했습니다.

혹시 몰라 다른 각도의 촬영본을 쓸 수 있도록 개인 카메라도 갖고 가고, 여유 있게 메모리카드도 구매해 준비했습니다.

약속한 날에 세무사와 스튜디오에서 만나 촬영 전에 어떤 식으로 진행할 것인지 리허설을 했습니다. 혼자 카메라와 조명 세팅하고, 세무사를 맞아 안내하며 준비도 하려니 분주하고 또 정신없었습니다. 그래도 최대한 침착하게 진행해 촬영을 마쳤습니다. 끝나고 근처 카페에서 커피와 디저트를 대접하고 세무사를 배웅했습니다. 그리고는 혼자 스튜디오에 돌아와 녹화한 영상을 옮겨가려고 공용 컴퓨터에서 영상을 확인했습니다. 모두 좋았는데 한 가지, 메인 카메라에 장착한 마이크 전원을 켜지 않았던 것입니다. 앗-차!

보통 카메라에 내장 마이크가 있어 추가로 마이크를 설치하지 않아도 음성이 녹음되기는 하는데, 음질이 선명하지 않아 웬만하면 추가로 카메라용 마이크를 꽂아 사용합니다. 혼자서 진행하면서 두 카메라를 켜고 녹음되는지 실시간으로 신경을 쓰느라 미처 카메라에 장착된 마이크를 켜는 걸 깜빡한 것이었습니다.

웅얼웅얼 선명하게 들리지 않는 오디오에, 이미 배웅을 끝내고 사무실로 간 세무사, 돌이킬 수 없는 상황. 생각지도 못한 실수가 생기면 사람은 갑자기 멍해집니다. 멍하니 컴퓨터 화면을 바라보다 어떻게든 살리겠다고 오디오 편집을 요리조리 해봐도 이미 원본이 엉망이라 갖가지 기능을 써봐도 나아지지 않았습니다. (마치 가창력 없는 가수의 녹음본을 기계음으로 잔뜩 조작해 자동 보정으로 가득한 노래를 듣는 느낌이랄까요)

망연자실한 사이, 갖고 온 개인 카메라가 눈에 들어왔습니다. 길은 늘 있기 마련이었습니다. 다른 각도에서 촬영한 카메라로 녹음한 영상을 살펴봤습니다. 개인 카메라에 마이크가 장착되어 있어 선명하게 오디오가 잘 들렸습니다. 하나님, 만세! (종교는 무교입니다) 화질이 좋은 메인 카메라 영상에 개인 카메라로 찍은 영상에 오디오만 추출해 하나로 편집했습니다. 그렇게 첫 촬영을 정신없이 마무리했습니다.

한 번은 실수해도 두 번은 실수하지 않으리. 두 번째 콘텐츠로 노무사를 섭외해 진행할 때는 촬영 당일 마이크 전원을 꼭 신경 썼습니다. 카메라, 조명, 마이크까지 모두 잘 세팅해두고 촬영했습니다. 마치고 또 카페에서 커피 대접한 뒤 노무사를 배웅하고 혼자 스튜디오로 돌아왔습니다. 녹화한 영상을 옮기려 공용 컴퓨터로 또 확인했습니다. 이번에는 실수가 없겠지, 하고 파일을 확인하는데 두 눈을 의심했습니다. 파일에 표시된 시간이 촬영된 시간보다 짧은 것이었습니다. 분명 40분을 촬영했는데 왜 파일에는 36분으로 되어 있을까요. 오, 마이, 갓. (왜 사람은 당황하면 하나님을 찾게 되는 걸까요)

이번에는 마이크 녹음이 잘 되었지만, 카메라 화질이 좋은 탓에 용량 문제로 뒷부분이 조금 잘렸습니다. 이 흔들리는 마음을 바로잡아줄 수 있는 건 개인 카메라뿐이었습니다. '제발, 너라도!'

개인 카메라에는 다행히 마지막 부분까지 촬영되어 마무리를 지을 수 있었습니다. 그리고 세 번째 촬영에는 아무런 실수 없이 마무리를 지었습니다. (이 모든 영상은 유튜브 〈줄리의 라디오〉 채널에서 확인 가능합니다)

이렇게 시행착오 끝에 지원 사업을 마무리했습니다. 처음부터 끝까지 혼자 하느라 분주했지만, 하나씩 해 나가며 실수를 줄였습니다. 첫 번째 지원 사업에는 떨어졌지만 두 번째에는 붙었고, 첫 번째 촬영에는 실수했지만 두 번째 촬영에는 실수 없이 진행한 것처럼요. 점점 경험할수록 나아졌고, 기술이 생겼습니다. 모두 적극적으로 도전한 끝에 하나씩 만들어지는 일이라고 생각합니다.

차차 좋아하는 일을 더욱 잘하게 될 수 있도록 앞으로도 배우고 또 노력하려고 합니다. 또 어떤 지원 사업에 도전할까요?

내레이션 성우에
도전하기

오디오북으로
들어보세요

[줄리님은 아나운서예요, 성우예요?]

일부 청취자는 제 목소리가 좋다며 두 가지 직업인지를 꼭 확인했습니다. 아나운서 또는 성우. 둘 다 좋은 목소리로 할 수 있는 대중적인 직업이었죠. 그 질문을 자주 받았지만, 대답을 명확히 하지 않으면 오해가 생길 수 있으니 매번 '라디오 크리에이터'라고 소개했습니다. 그러면 이어지는 반응으로 두 가지 반응을 보였습니다. "그렇군요." 수용하거나 "그러면 아나운서 또는 성우 해보세요!" 제안하는 반응이었죠. 그럴 때면 저는 이렇게 대답했습니다.

"제 목소리에 맞게 라디오 DJ를 하고 있는걸요. 잘 어울리지 않나요?"

아나운서를 하면 그 방송국의 라디오 DJ를 할 수 있겠지만, 아나운서가 라디오 DJ를 하기 위해 하는 직업이 아니라 생각해 직업으로 고려해보지 않았습니다. 성우는 목소리로 할 수 있는 모든 일을 해서 좋지만, 다양한 목소리 톤을 내며 연기를 하는 일은 제 능력 밖의 일이라 생각했고요.

'에이, 내가 어떻게 성우를 해. 목소리만 좋다고 성우인가.'

스스로 한계의 범위를 좁히고 있다는 것도 모른 채로요. 또 그곳에서 잠재되어 있던 능력이 생길지 모르는 일인데 말이죠.

어쩌면 새로운 도전은 두꺼운 벽으로 되어있지 않고 불투명한 얇은 벽으로 되어있을 수 있습니다. 그래서 보이지는 않아 두렵지만, 벽의 두께가 얇아 용기를 내 가볍게 주먹을 치면 뚫리는 정도일지 모르죠.

[안녕하세요, 줄리님. 원고 작성할 수 있으실까요?]

어느 날, 프리랜서 마켓 플랫폼에서 메일을 통해 원고 청탁을 받았습니다. 프리랜서 마켓에 대한 경험을 솔직하게 적은 에세이를 작성해달라는 요청이었습니다. 그렇지 않아도 직장 다닐 때 프리랜서 마켓 플랫폼을 통해 의뢰인으로 외주 작업을 요청했던 경험이 있고, 프리랜서가 된 지금 반대로 전문가로 활동할 수도 있으니 원고 작성이 수월할 것 같았죠.

[네, 가능합니다.]

몇 번의 메일을 주고받고 원고 마감 일정과 비용 및 지급 일자까지 확인 받은 후에 원고를 작성했습니다. 그러면서 프리랜서 마켓 플랫폼을 차근차근 살펴봤는데 그중 '성우' 카테고리에 다양한 남녀노소의 성우가 프리랜서로 활동하고 있는 게 눈에 띄었습니다. 과연 나도 이 안에서 전문가로 활동할 수 있을까, 하는 기대로 페이지에 들어가 자세히 봤습니다.

아무래도 가장 많은 거래를 한 전문가부터 순서대로 나열되어 있어 인기 성우들의 경력을 볼 수 있었는데, 작업한 내용이 많고 화려해 순간 주춤해졌죠. 거기에 의기소침도 한 숟가락 얹어졌고요. 안 되겠다 싶어 원고만 쓰기로 했습니다. 원고를 마감한 뒤 다시 프리랜서 마켓 플랫폼에서 '성우' 카테고리를 살펴봤습니다.

'아니, 왜? 나만의 목소리로 할 수 있는 역할도 있겠지.'

아쉬움을 버리지 못하고 그 페이지를 둘러봤습니다. 목소리 좋은 남녀노소가 자기 어필을 하는 썸네일을 보고 있자니, 저와 겹치는 키워드가 없어 보였습니다. 라디오, 중저음 여자 목소리, 이 두 가지의 특징으로 과감히 도전해보기로 했습니다.

[라디오 DJ가 차분한 중저음 목소리로 녹음해드려요]

나를 나타낼 수 있는 키워드를 제목에 넣고, 그간 해왔던 포트폴리오를 정리해 페이지를 작성했습니다. 단가를 적는 건 필수였습니다. 전직 성우가 아니니 비성우의 평균 단가와 비슷하게 맞춰 올렸습니다. 작성하면서 내레이션 제안이 올 거라는 기대는 하지 않았습니다. 전직 성우부터 다양한 목소리의 프리랜서가 많은데 나한테까지 기회가 올까 싶었죠. 그래도 전문가로 등록하려 했던 이유는 파이프라인을 늘리기 위한 프리랜서로서 작은 노력이었습니다. 가만히 있으면 일거리가 생기지 않으니 어떻게든 일거리를 받을 기회를 늘리려고 했죠.

성우 전문가로 등록하고 나서는 평소 일정대로 일하며 프리랜서 마켓의 존재를 잊고 살았습니다. 그러다 며칠 뒤에 불쑥 문자가 하나 왔습니다.

[읽지 않은 메시지] 전문가님께 의뢰 메시지가 1건 있습니다.

내게 드디어 일이 생기는 건가! 플랫폼에 들어가 확인해보니 연구용으로 필요한 30대 여성 목소리를 녹음해 달라는 요청이 있었습니다. 짧은 분량에 간단한 문장이라 바로 녹음 편집해 작업물을 발송했습니다. 녹음 파일을 받은 의뢰자는 마음에 들었다며 좋은 후기를 남겨줬습니다. 목소리로 할 수 있는 일이 하나 더 생겨 기쁘고 뿌듯했습니다.

그 이후로도 매주 한 건씩 내레이션 의뢰가 들어왔습니다. 개인부터 기업까지 내용과 목적이 달라 녹음하는 재미가 있었습니다. 보통 다큐멘터리 내레이션 제안이 많았고, 차분한 명상 내레이션, 동화책 읽기 등 내용도 분위기도 다양했습니다. 점점 의뢰가 잘 들어오니 내레이션을 더욱 잘해보고자 발음·발성 연습을 하고, 녹음도 여러 번 해보며 좋은 결과물을 내기 위해 노력했습니다. 그러면서 동시에 목소리로 할 수 있는 범위가 꽤 넓다는 걸 느꼈습니다.

매주 새로운 콘텐츠를 만들어야 했고, 매번 새로운 이야기를 해야 하고, 새로운 프로젝트를 찾아 계속 도전하다 보니 '또 다른' 일을 찾을 생각을 하지 못했습니다. 청취자들이 아나운서나 성우를 해보라는 이야기를 계속해왔지만 고사하고 매주 일정을 해내기에 급급했죠. 그러다 자연스럽게 프로젝트가 끝나고 계약 종료로 일이 줄어드는 시기가 오자, 여유가 생기며 주변을 둘러볼 에너지가 생겼습니다. 내가 할 수 있는 일, 배워서 발전할 수 있는 일이 하나둘씩 보이기 시작했죠.

여전히 해보지 않아 도전해야 할 일들이 많습니다. 당장은 눈에 보이지 않지만, 점점 경험을 쌓아갈수록 도전할 기회가 하나둘 생기고 저만의 영역을 넓혀나가겠죠.

지치지 않고, 계속 도전해보렵니다. 도전의 비밀, 불투명해 보이지 않지만 얇은 벽으로 되어있어 쉽게 뚫을 수 있다는 것을 생각하면서요. (그까짓 거, 주먹으로 치면 뚫립니다)

[파이프라인을 늘리기 위한 프리랜서의 노력]

프리랜서는 자유롭게 일하기 때문에 자유롭게 돈을 벌 수도, 벌지 못할 수도 있습니다. 잘 될 때는 잘 되고, 안 될 때는 또 너무 일이 없으니 직업으로서 불안정하죠. 그래서 많은 프리랜서가 불안정한 수입으로 파이프라인(여러 곳에서 수입을 만들어놓는 구조)을 만들어놓으려 합니다. 나와 수입으로 연결된 파이프라인이 많아질수록 일이 안정되고, 이를 통해 더 많은 일을 연결해 영역을 넓혀나갈 수 있죠.

라디오 크리에이터로 할 수 있는 일이 그렇게 많지 않은데도 저는 계속 관련돼서 할 수 있는 일을 찾아 나섰습니다. 파이프라인을 늘리기 위해 했던 저의 경험을 정리해보자면 이렇습니다.

① 일감 찾기 : 언제나 일할 곳이 있는지 두리번거린다

잘 살펴보면 일자리를 구하는 공고는 꽤 많습니다. 그 중 나와 맞는 일을 발견할지 모르죠. 몰라서 지원을 못 하고, 못 봐서 일을 놓친다면 이 얼마나 안타까운 일입니까. 그런 사태가 발생하지 않도록 즐겨찾기에 관련 구직 정보를 올려주는 블로그나 사이트를 넣어놓고 매일 확인

했습니다. 매주 채용 공고와 프로젝트, 지원 사업 등을 정리해서 알려주는 소식지를 구독해 하나도 빠짐없이 읽었습니다. 내게 필요한 일자리가 있는지 프리랜서는 인터넷 속을 잘 파헤쳐봐야 합니다.

+ 추천 사이트

〈오렌지레터〉

교육, 캠페인, 지원 등의 정보를 제공하는 소식지

https://orangeletter.stibee.com

〈한국콘텐츠진흥원〉

크리에이터를 위한 지원사업 공고를 한 번에 볼 수 있는 사이트

https://www.kocca.kr/kocca/main.do

② 포트폴리오 제작

: 바로 어필할 수 있는 나만의 포트폴리오

프로젝트나 지원 사업 신청할 때 가끔 포트폴리오를 선택해서 제출해도 된다는 안내가 있습니다. 프리랜서는 다양한 일을 하니, 그간 어떤 작업물을 했는지 확인할 수 있도록 준비해두는 것이 좋습니다. PDF, 영상, 링크 등 다양한 형식으로 만드는 것을 추천합니다.

+ 추천 사이트

〈링크 트리〉

홈페이지나 SNS를 한 페이지에 모아 볼 수 있게 해주는 사이트. 잘 만들어놓은 SNS도 포트폴리오가 될 수 있습니다.

https://auth.linktr.ee

③ 시선 확장 : 늘 마음의 문을 열어놓기

프리랜서의 분야는 많지만, 꼭 한정되어 일하기보다는 더 넓게 많은 일을 하려면 마음의 문을 활짝 열어야 합니다. 라디오 크리에이터라서 라디오 진행, 팟캐스트, 내레이션 성우 등을 해왔지만 이에 국한하지 않고 범위를 넓히려 했습니다. 그래서 직업 이야기를 담은 블로그를 운영하며 원고를 청탁받았고, 이렇게 직업 이야기를 담은 에세이도 출판해 활동하고 있습니다. 이를 통해 또 어떤 일로 연결될지 모르는 일입니다. (흐뭇)

저는 이 세 가지를 통해 일감을 찾아서 하나둘 파이프라인을 늘려나갔습니다. 물론 원한다고 해서 일을 계속할 수 있는 게 아니라 계약만료로 일이 끊기기도 했지만, 그 모든 경험은 쌓이고 쌓여 새로운 일을 연결해줬습니다. (그런 점에서 프리랜서는 일 탐험가 같기도 합니다)

“

때론 청취자가 든든하게
어깨를 내밀며 저를 받아줄 때,

라디오는 DJ가 일방적으로
마음을 전달하는 게 아니라
청취자와 서로 마음을
주고받는다는 걸 알았습니다.

”

Part 6 : 매일 On air, 라디오 스트리밍

냉혹한 유튜브 세계에서 살아남는 법

'나도 유튜브나 해봐야지'

'진짜 너 유튜브 하면 대박 날걸?'

주변에서 숱하게 하는 말입니다. 많은 구독자를 보유하고 있는 유튜브 채널이 어마어마한 광고비에 좋은 물건도 턱턱 협찬을 받는 걸 보고 있자니 '나도 해볼까'하는 마음이 생길 수 있습니다. 유튜브 피드에는 인기가 좋은 영상만 뜨니 평균 채널 구독자 수는 10만 명 이상입니다. 일반인이 재밌게 찍어서 올린 영상도 연예인 못지않은 인기를 누리고 있으니 '나도 해볼까'에서 '나도 해야겠다!'라는 마음이 들 수 있습니다. 운 좋게 알고리즘만 착착 잘 타면 잘 될 수 있을 것도 같죠. 그렇게 많이들 유튜브에 대한 환상 아닌 환상을 가지고 시작합니다. 그렇지만 레드 오션 시장인 유튜브 세계는 아주 냉혹하기 짝이 없습니다. 각종 영상 전문가와 비전문가여도 실력과 감각을 갖춘 일반인이 수두룩해서 그 사이에서 시선을 받으려면 나만의 색다른 콘텐츠와 기술을 가지고 있어야 하죠. 우선 이 부분을 찾아내기 쉽지 않지만, 그 외에 유튜브를 하면서 생기는 여러 고통도 감내해야 합니다. 고통은 세 가지로 정리할 수 있겠습니다. (이 세 가지는 제가 느낀 기준이니 참고만 해주세요)

첫 번째는 창작의 고통입니다. 주기적으로 영상을 촬영하고 편집하고 올리는 과정이 쉽지 않다는 것을 느끼게 됩니다. 유튜브 성공 가이드에서 무조건 나오는 방법이 하나 있습니다.

'매주 2회씩 주기적으로 영상을 올리세요.'

유튜버가 아니면 본업을 하면서 주 2회씩 영상을 올리기는 쉽지 않습니다. 영상 촬영하고, 편집 프로그램으로 보기 쉽게 편집하고, 자막과 효과를 넣어 최종 완성하는 시간이 생각보다 꽤 걸리죠. (한 유명 유튜버는 한 영상에 20시간의 시간을 들인다고 했습니다)

촬영 편집이 쉽거나 본업에 일하는 시간을 많이 들이지 않으면 가능할 수도 있습니다. 그렇지만 퇴근하고 저녁 먹고 남은 휴식 시간에 하려면 피곤할 수 있는 겁니다. 초반에는 피곤해도 열정으로 시간을 들여서 할 수 있겠지만, 유튜브 영상에 에너지를 써 본업이 힘들어지거나 꾸준히 할만한 여력이 안 되는 경우가 생길 수 있습니다. 그래서 호기롭게 유튜브를 개설하고 6개월 이내 운영을 중단하는 채널이 많습니다.

반대로 취미로 영상을 만들다가 잘 된 채널도 있지만, 그것이 현실적으로 대다수가 할 수 있는 사례가 되기는 어렵다고 생각합니다. (직장 다니면서 재미로 시작했더니 월급보다 유튜브 수익이 더 나오면서 퇴사하고 유튜버로 전향했습니다, 는 많은 직장인의 꿈이지 않을까요) 눈에 불을 켜고 영상을 만드는 유튜버가 많은데 그 와중에 여유롭게 영상을 만들어 잘 되기는 쉽지 않은 일입니다. (만약 된다면 당신은 타고난 영상 천재!)

두 번째는 숫자의 고통입니다. 늘지 않는 구독자 수와 예상할 수 없는 조회 수로 지쳐버려 외면해버리고 싶은 마음이 들 수 있습니다. 열정을 가지고 시작한 유튜브가 아무리 해도 구독자가 늘지 않으면 당연히 마음이 지치기 마련이죠. 거기에 투자한 시간과 노력 대비 결과가 안 나온다면 계속해서 붙잡고 있어야 할 이유가 없어지고요. 재밌는 건, 이 숫자의 고통은 잘 되어도 생긴다는 겁니다. 초보 유튜버는 구독자가 안 늘어서 걱정이고, 많은 구독자를 보유한 유튜버는 반대로 줄어들까 걱정하죠. (유튜브 속 구독자 숫자는 올라가기도 가고 내려가기도 하는 말썽꾸러기입니다)

세 번째는 시선의 고통입니다. 유튜브를 보는 사람이

많은 만큼 다양한 시선이 있습니다. 나와 반대되는 의견을 가진 시선, 뭐든 삐딱하게 보는 시선, 영상과는 상관없이 다른 주제를 꺼내는 시선까지요. 예기치 못한 다양한 시선에서 마음의 상처를 입게 될 수도 있습니다. 꼭 인신공격이나 명예훼손, 비난 및 비방의 악성 댓글이 아니더라도 솔직하게 남긴 댓글도 상처가 될 수 있죠.

[더럽게도 재미없네요]

누구는 재밌게 본 영상이 다른 사람에게는 지루한 영상으로 보일 수 있습니다. 모두 시선이 다르고 평가가 다를 수 있다는 전제를 고려하더라도 나를 향해서 보내는 날카로운 메시지에 아무렇지 않게 대응하기는 쉽지 않습니다.

이러한 세 가지 고통으로 유튜브를 꾸준히 해나가는 게 쉽지만은 않죠. 주변에도 유튜브를 운영하다 포기한 사람도 어렵지 않게 볼 수 있었습니다. 지인과 커피를 마시다 우연히 유튜브 이야기가 나왔는데, 유튜브를 오래했는데 구독자가 너무 안 늘어서 접었다는 겁니다. (이 경우는 두 번째 숫자의 고통에 해당하죠)

"얼마나 했어?"

보통 6개월에서 1년 이내로 없어지는 채널이 많으니 기간이 궁금했습니다. 타인의 '오래'에 대한 기준도 궁금했고요.

"한 2년 정도 했던 것 같아."

뭔가를 위해 꾸준히 시간과 노력을 들이는 건 쉽지 않은 일입니다. 어쩌면 2년이란 시간이 딱 고비가 오는 때인 것 같습니다. 저도 유튜브를 시작하고 2년 넘게 정체된 구독자 수로 심히 고민했을 때가 있었습니다. 계속하다 보면 될 것이라는 주변의 응원도 있었지만, 방향을 잘못 잡은 게 아닐까 싶어 한두 번을 바꿔도 나아지지 않았습니다. 왜 안 될까, 원인과 이유를 분석하기 시작했고 이내 이유를 알게 되었습니다. 라디오 크리에이터로 혼자 '라디오 대본 작성'과 '진행' 두 가지를 할 수 있다고 생각했는데 한 가지, '콘텐츠 기획' 능력이 부족하다는 것을요.

내가 좋아하는 콘텐츠가 대중에게 인기 많으면 아주 좋을 테지만 반대로 반응이 없으면 '나만 좋아하는 콘텐츠'가 된 것 같습니다.

[100만 유튜버가 알려주는 콘텐츠 제작 꿀팁]

이런 제목의 눈길을 끄는 유튜브 강의들이 꽤 많습니다. 방향을 잘 못 잡는 제게 필요한 강의라 생각해 들어봤습니다. 먼저 인기 유튜버의 소개부터 듣자면, 이전에 영상 관련 전문가였거나 방송 관련 종사자였거나 어릴 때부터 영상에 꽤 관심이 많은 것으로 시작합니다. (영상을 시청만 해온 저와 시작점부터 다른 것 같은 느낌이 들지만요) 그리고 공통으로 하는 조언은 '자신이 잘하는 것을 추려서 나만의 콘텐츠를 기획하라'입니다. 마치 국·영·수 위주로 공부하면 된다고 해서 국·영·수 위주로 공부했는데 나만 성적이 안 나온 사람이 되어버린 느낌입니다. 그래서 한번 질문해 봤습니다.

"그렇게 기획해서 유튜브 채널을 운영했는데 반응이 잘 안 나오면 어떻게 하나요?"

그랬더니 돌아오는 답변은 이러했습니다.

"자신이 잘하는 것과 대중이 원하는 것을 잘 맞춰보세요."

이는 '트렌드'를 잘 알아야 하는 전제가 깔려 있었습니다. 트렌드를 잘 알려면 영상을 많이 보면서 그 안에서 포인트를 찾는 안목이 있어야 하고요. 그래서 영상 관련 전문가들이 남들 보다 그 포인트를 잘 짚어냈구나 싶었습니다. 글도 그림도 하다 보면 실력이 느는 것처럼 영상도 마찬가지였습니다. 트렌드를 아는 사람은 대중에게 인기 끌 요소를 잘 알아 성장이 빠를 수 있지만 그게 조금 부족한 사람이라면 성장이 조금은 더딜 수 있었죠.

저는 분명 실력 면에서 더딘 사람이었습니다. 평소에 트렌드를 쫓으려 하지 않고, 나만의 취향대로 사는 사람이었죠. 실력은 남들보다 더디겠지만 마음만큼은 더디지 않으려 했습니다. 보완할 점을 공부하고 꾸준히 사람들의 피드백을 받으며 발전을 위해 끊임없이 노력하려 했죠.

유튜브를 처음 시작할 때는 잘 되는 사람이 눈에 들어

오고, 하면서는 잘 안 되는 사람이 많다는 게 눈에 들어온 다음, 그 이후에는 잘되지 않아도 계속하는 사람들이 보입니다. 유튜브의 여러 고통을 감내하면서도 좋아하는 일을 위해 달리는 사람들 말이죠. 냉혹한 유튜브 세계에서 살아남는 법은 아마 이 끈질긴 노력 안에 있는 '좋아하는 일'이 아닐까 싶습니다.

본업이 크리에이터이기 때문에 유튜브가 잘되지 않아도 포기하지 않았습니다. 유튜브를 통해 라디오 콘텐츠를 제공하고 싶었고, 많은 청취자에게 좋은 시간을 만들어주고 싶었으니까요. 처음에는 라디오 콘텐츠를 팟캐스트처럼 만들었는데 큰 반응이 없어 보이는 라디오로 재밌는 이야기 하는 콘텐츠를 만들어봤고, 목소리를 잘 들을 수 있는 ASMR로도 시도해봤습니다. 애초에 기획했던 라디오가 잘되지 않아도 다양한 방식으로 오디오 콘텐츠를 제공할 수 있다면 좋았습니다. 목소리를 통해 좋은 마음을 주고 싶은 마음은 일맥상통하니까요.

더디게 돌아가더라도 유튜브를 통해 많은 사람에게 전달하려는 마음은 변하지 않을 겁니다. 앞으로도 그러기 위해서 포기하지 않고 계속 노력할 것이고요.

안 풀려도 GO
약속 지키는 라디오 DJ

오디오북으로
들어보세요

라디오 크리에이터에겐 실시간 스트리밍 방송이 필수라고 생각합니다. 만약 생방송으로 진행되는 라디오에 바로 투입된다면 실수 없이 프로처럼 이끌어갈 수 있을지 의문입니다. 아무리 대본이 준비되어 있다 해도, 실수가 곧바로 인지되는 생방송이라는 점에서 긴장이 될 수 있고, 대본 외에 여유롭게 라디오를 이끌어가는 진행 실력도 부족할 수 있습니다. 그래서 실시간에 익숙해져 긴장하지 않아야 하는 것이 첫 번째, 청취자와 문자 소통에서 여유롭게 대답하는 순발력이 두 번째로 있어야 한다고 생각했습니다.

"4885님이요, 퇴근길이라 늘 막히는 구간에 있는데 뒤차가 빨리 가라며 클랙슨을 울려대네요. 약간 스트레스는 받지만, 라디오 들으며 마음을 풀고 있습니다."

청취자의 실시간 메시지에도 바로 유연하게 대답할 수 있어야 하죠. 정답은 없지만, 로봇처럼 뚝딱대며 "네, 퇴근길 참 막히죠."하고 단답형으로 대답한다거나 "4885, 너지?"하고 알 수 없는 농담을 던져 분위기를 싸하게 만든다면 청취자와 거리가 멀어질 수 있습니다. (줄리님 왜 저래, 하고 채널을 돌려 버리는 불상사가 발생할 수도 있겠고요)

10년 이상 라디오를 해온 유명 DJ는 '라디오는 친구'라고 정의했습니다. 내 옆에서 조잘대며 말을 해주고 음악도 들려주고 소통도 해주는 친구 같은 존재 말이죠. 제가 라디오를 하고 싶었던 이유도 그와 같습니다. 실시간으로 많은 사람에게 좋은 마음을 전해주고 위로가 되는, 친구 같은 존재였으면 해서였습니다. 그런 라디오 DJ가 청취자와 소통이 잘되지 않으면 그것 또한 곤란하겠죠. (많은 사람의 친구가 되기는 어렵습니다)

실시간 방송을 익힐 겸, 청취자와 소통을 잘해나갈 겸, 그리고 고정 청취자를 만들 겸하여 스트리밍 방송을 꾸준히 하기로 했습니다. 그렇게 하라는 누군가의 지시도 아닌, 저 혼자만의 약속이었죠. 같은 시간에 자리를 지키는 라디오 DJ가 되고 싶었습니다.

월요일부터 금요일까지 2시간 이상 성실하게 정해둔 시간에 맞춰 스트리밍 방송을 했습니다. 처음에는 잘되지 않아 많이 헤매고 스트레스도 받았지만, 응원해주는 청취자가 하나둘씩 늘어나며 힘내서 앞으로 나갈 수 있었습니다. 조금이라도 늦게 켜면 기다렸다는 청취자들의 반응에 내심 감동하며 즐겁게 라디오를 해나갔죠. 그렇지만 즐거움도 잠시, 자주 오던 청취자들이 조금씩 다른 이유로 바빠 안 듣는 날이 이어지며 점점 청취자 수가 적어졌습니다. 하루는 그럴 수 있지, 싶겠지만 내일도 모레도 그다음 날도 여전히 같은 자리를 맴돌면 자연스레 기운이 빠지기 마련입니다.

[줄리님은 목소리도 좋고, 라디오도 잘하시는데 왜 이렇게 인기가 없어요?]

가끔 청취자들이 이렇게 묻곤 했습니다. 목소리 좋고, 소통도 잘 돼서 좋은데 왜 이렇게 반응이 없느냐. 조금 고통스러운 과정이지만 곰곰이 '왜 그런지'를 파악해본 결과, 여러 가지 이유가 떠올랐습니다.

우선 자극적인 방송이 주를 이루는 플랫폼에서 차분하고 진지하게 소통하는 라디오 콘텐츠는 상대적으로 반응이 없을 수 있고, 목소리는 좋은데 매력이 없어서 오래 듣게 되지 않을 수 있고, 콘텐츠 방향을 잘못 잡았을 수 있고, 또 운이 없었을 수도 있죠. 콘텐츠가 문제인가 싶기도 했지만, 클릭해서 들어오는 수가 적으니(스크롤을 한참 내려야 보이는 곳에 있으니) 정확한 원인 파악이 어려웠습니다.

그렇다고 가만히 두고만 볼 수 없었습니다. 조금이라도 뜰 수 있는 온갖 방법을 동원해 할 수 있는 한 시도해보기로 했습니다. 썸네일, 제목을 바꾸고 새로운 청취자를 유입할만한 다양한 방송 시도해보며, 플랫폼에서 진행하는 이벤트에 참여해 방송을 여러 사람이 볼 수 있는 맨 위로 뜨게도 했죠. 그래서 잠시나마 인기를 끌 수 있었습니다.

[줄리님을 이제야 알게 됐네요]

[자주 올게요, 금방 성공하실 것 같아요!]

대신 기존에 라디오 분위기를 좋아하던 청취자는 떠나갔고, 저도 안 맞는 옷을 입고 오래 진행하기가 어려웠죠. 시간이 지나면서 자연스레 제일 잘하는 라디오 분위기로 돌아왔고 그것을 좋아하는 청취자만 다시 남게 되었습니다.

계속 방송이 저조했던 건 아니었습니다. 주기적으로 변동이 있는 주식처럼 하락했다가 상승했다가를 반복하며 갔죠. 상승은 늘 즐겁지만 하락하는 기간을 견디는 게 쉽지 않았습니다. 어제도 안 되고, 오늘도 안 되었는데, 내일도 안 될 것 같은 날이 뻔하게 느껴지는 날이 반복되자 어떤 날에는 라디오를 준비할 때 흥이 나지 않았습니다.

'해도 아무도 안 오겠지.'

아마 이런 이유로 방송을 1년 안에 그만두는 사람이

많을 겁니다. 잘되지 않는 시기가 이어지며 해도 나아질 기미가 전혀 보이지 않을 때, 도전보다는 포기가 더 가깝게 느껴지는 법이죠. 그래도 한 번도 포기하고 싶다고 생각하진 않았습니다. 잘 풀리지 않는 게 답답하고 그 자체가 나에 대한 평가로 이어지는 것 같아 자존감도 떨어지지만, 기다려주는 청취자가 한 명이라도 있고 앞으로 라디오를 하고 싶은 마음이 더 크기 때문에 포기하지 않았죠.

'잘 안 풀려도, 그대로 계속 가보자.'

누구나 안 풀리고 힘든 시기는 찾아오기 마련입니다. 그 기간이 나를 옥죄어오고 흔들리게 해도 그걸 버티고 이겨내지 않으면 그다음으로 성장할 수 없다고 생각했습니다. 그때마다 이 말을 떠올렸습니다.

위기는 위험과 기회의 준말로, 그 힘든 위험 속에 성장할 기회가 숨겨져 있으니 위험에 마냥 빠지지 말고 기회를 잡자.

안 될 때마다 안 되는 이유에 대해 생각해보게 되고, 반대로 잘 될 때를 감사하게 받아들이게 되며, 내가 무엇이 부족하고 어떤 것이 필요한지를 알게 됩니다. 그리고 그 모든 경험과 과정이 내 것이 되어서 앞으로 해나갈 일에 거름이 될 것이었죠.

또한, 나와 한 약속을 저버리고 싶지 않았습니다. 좋아하는 일을 잘해보겠다고 다짐하고 시작한 일이 주춤한다고, 조금 안 된다고, 힘들다고 포기하려고 하면 자신에게 실망할 것 같았거든요. 어떤 일이 있어도 꿋꿋하게 자리를 지키며 이 정도면 성실하게 최선을 다했다고, 후회하지 않을 때까지 해보고 싶었습니다. 어디까지 갈 수 있을지 자신을 시험해보고 싶기도 했었고요.

그렇게 3년 동안 꾸준히 실시간 스트리밍을 해오며 많은 경험을 얻었습니다. 'N' 포털 사이트의 실시간 라디오에서 긴장감 없이 여유를 가지고 임할 수 있었고, 청취자의 메시지를 읽으며 편하게 소통하는 순발력도 늘었습니다. 또한, 매일 목소리를 내고 발음과 톤을 신경 쓰니 안정된 목소리가 만들어졌고, 응원해주는 많은 청취자도 생겼죠.

이 모든 것이 잘 안 풀려도 해내고 또 해내려고 발을 굴렀던 '의지'에 있었다고 생각합니다. 그러니 오늘도 내일도 라디오를 해나가려 합니다. 더 큰 위험이 기다릴지 몰라도 괜찮습니다. 더 크게 발을 구르면 되겠죠?

실시간이라서
생기는 일

실시간으로 송출되는 보이는 라디오 방송은 그 무엇도 감출 수 없이 그대로 드러납니다. 그래서 좋기도 하고 안 좋기도 하죠. 우선 좋은 점은 실시간으로 제 모습과 목소리가 생생하게 전달돼 청취자에게 친밀감이 생긴다는 것입니다. 어떻게 보면 청취자가 보고 있는 화면을 통해 서로 마주 보고 있으니 친구 같은 느낌이 드는 거죠.

어떤 표정으로 어떤 말을 하는지를 생생하게 볼 수 있으니 좋지만, 한편으로는 그 모든 것이 모두 생생하게 보여 안 좋을 때도 있습니다. 웬만하면 늘 같은 차분한 마음과 분위기로 좋은 모습만 보여주고 싶지만 감추려고 해도 감춰지지 않는 것들이 있으니 난감할 때도 있죠. 우선 시각적으로 청취자에게 좋은 화면을 보여주기 위해 신경 쓸 점이 있습니다. 배경이 너무 밝으면 보기에 눈이 아프다고 하여 적당히 편안한 빛의 배경을 만들어야 하고, 그 속에 앉아 있는 저는 단정하면서도 따듯한 미소를 보이는 게 좋죠.

표정을 좋게 하는 건 쉬우나 반대로 안 좋은 감정의 표정을 아닌 척 숨기는 건 쉽지 않습니다. 실시간으로 여러 청취자가 들어와 자유롭게 메시지를 하는 환경의 특성상, 의도적이든 의도적이지 않든 나를 괴롭히는 사람과 마주할 때가 있습니다.

[성형했죠? 몸무게가 몇이세요?] 외모 비하를 하거나 [목소리 좋다고 하더니, 별론데요?] 괜한 꼬투리를 잡거나 [줄리님이 저보다 어린데 무슨 조언을 들어요] 좋은 대화를 하려 해도 감정을 상하게 하는 사람이 있었죠.

방송 초반에는 불쑥불쑥 드는 감정을 참고 참다가 한번에 폭발하듯 터뜨린 적이 있었습니다. 팬인지 악성 댓글자인지 오묘하게 저를 건드리는 한 청취자에게 참지 못하고 감정을 터뜨렸습니다.

"왜 그렇게 말씀을 하세요! 지난번에도 그렇고, 이번에도 그렇고!"

방송을 진행하는 사람이 한 사람에게 화를 내게 되면 반응은 이렇게 흐르게 됩니다. 지켜보고 있던 다른 청취자가 한 사람을 향해 [어서 잘못했다고 말하세요], [그래요, 조금 심하긴 했어요]하고 말하며 제 편이 되고, 머쓱

해진 그 사람은 [내가 나가면 되는 거죠?] 하며 나가고 상황이 정리됩니다. (물론 방송 기능에 강제 퇴장이라는 좋은 버튼이 있지만 웬만하면 사람을 내치지 않는 편이라 되도록 대화로 풀고 싶었습니다)

이렇게만 정리하면 상황 정리가 빠른 것 같지만 감정을 표현하고 대화를 하는 과정이 30~40분가량이 되다 보니 방송 주제가 싸움이 되어 분위기가 좋게 흘러가지 않았죠. 화난 감정을 차분하게 정리하는데도 시간이 걸렸고요.

물론 처음이니 감정 절제가 되지 않았지만, 그 이후로 점점 경험하며 조절이 되었습니다. 웬만하면 부정적인 청취자의 메시지는 눈을 흐리게 하여 못 본 척을 하거나 여유롭게 넘기고, 꼭 얘기를 해줘야 하는 안 좋은 이야기는 웃으며 이야기할 수 있는 정도에 이르렀죠. 워낙 긁어대는 사람을 많이 마주하다 보니 안 좋은 상황이 있어도 표정은 덤덤해지고 목소리는 담담해져 방송 분위기를 흐리지 않고 이어갈 수 있게 되었습니다.

꼭 안 좋은 감정만 숨기지 못한 건 아닙니다. 방송하면서 유일하게 한 번 감동하여 눈물이 왈칵 나왔을 때도 있습니다. 방송한 지 6개월쯤 되었을 때, 계속해도 나아지지 않고 같은 자리만 맴돌고 있다는 생각이 강하게 들었습니다. 사람들은 숫자(구독자 수, 조회 수)로 잘 되고 있는지를 판단하니 저도 늘 숫자에 강박관념을 가지며 예민해지기 일쑤였죠. 실시간 참여 수가 늘어나는지 줄어드는지를 주기적으로 쳐다보며, 줄어들 때마다 감흥이 떨어지고 기분이 가라앉았습니다.

그날도 열 명도 안 되는 청취자와 함께 보이는 라디오 방송을 진행하고 있었습니다. 오랜만에 들어온 청취자가 잠자코 지켜보다가 제게 물었죠.

[줄리님은 왜 라디오를 하려고 하세요?]

그 질문은 제게 이렇게 느껴졌죠. '이렇게 반응이 그다지 좋지 않은데, 무엇 때문에 라디오를 계속해 나가려고 하는 거죠?' 제가 청취자의 자리에서 봐도 그렇게 보일 것 같았습니다. 라디오를 시작한 목적부터 설명했습니다.

"라디오라는 매체를 통해 많은 사람에게 좋은 마음을 전해주고 또 필요할 때는 위로를 주고 싶었어요. 그게 왜 꼭 라디오여야 하는지는요, 실시간으로 생생하게 전달할 수 있고, 또 목소리와 음악을 통해 좋은 마음을 전달할 수 있어서였어요. 메시지로도 마음이 전달되긴 하지만 누군가의 따듯하고 좋은 말이 굉장히 힘이 될 때가 있잖아요. 그렇지만 제가 좋은 말을 하지 못한다면 그 마음을 담은 음악으로 다른 마음을 대신할 수 있다고 생각했어요. 그래서 라디오를 시작하게 됐고, 계속해 나가려고 하고 있습니다."

라디오의 목적은 그러했지만, 그것을 어떤 방식으로

어떻게 전달할지는 방향을 잡지 못해 이런저런 시도를 하고 있다고도 덧붙였습니다. 이야기를 잠자코 듣고 있던 청취자는 이렇게 메시지 했습니다.

[줄리님의 라디오는 참 위로가 돼요. 그래서 오랜만에 또 생각나서 이렇게 왔어요. 누군가는 줄리님의 라디오를 듣고 인생이 달라질 수 있을 것 같아요.]

힘내라고 응원의 메시지를 해준 것도 있겠지만, 이렇게 마음을 알아주는 메시지를 받으니 감동이 느껴졌습니다. 라디오의 목적을 달성한 것 같아 기쁘기도 했고요. 그간 라디오를 하는 목적은 좋은 마음을 전해주고 싶어서였지만, 어느새 사람들의 판단 기준에 맞추기 위해 청취자 수에 급급하며 숫자에 신경 쓰고 스트레스받는 자신을 발견했습니다. 라디오를 통해 '좋은 마음'을 받는 사람보다 '더 많은 사람'이 들어주고 있는 게 더 기쁠 것 같았고요.

한 청취자의 메시지를 통해 라디오의 진짜 목적을 되찾으며, 진심으로 마음을 알아주는 한 명만 있어도 기쁘다는 걸 깨달았습니다. 그렇게 감동의 눈물을 흘린 적도 한 번 있고, 또 한번은 예상치 못한 농담으로 웃음이 나와 5분가량 웃으며 눈물이 난 적도 있습니다.

처음에는 되도록 안 좋은 감정은 눌러 감추고, 좋은 감정은 두 배로 좋게 표현하고 싶었습니다. 그렇지만 그렇게 잘되지 않더라고요. 피곤하고 지친 내색을 하지 않으려 해도 청취자는 귀신같이 알아차렸습니다. 목소리를 통해서요.

사람의 눈빛만 봐도 감정이 다 느껴지는 것처럼 목소리에도 그 감정이 다 느껴진다는 걸 뒤늦게 알았습니다. 제 목소리를 자주 듣는 청취자는 조금만 상태가 달라져도 바로 알아챘습니다. 기쁘고, 우울하고, 화나고, 슬픈 모든 감정이 목소리를 통해 고스란히 느껴지니 아무리 감정을 눌러 감춘다 해도 그럴 수 없다는 걸 알았죠. 그러니 안 좋은 감정은 눌러 감추는 게 아니라 스스로 다스려서 부드럽게 풀어내기로 했습니다. 나를 긁는 사람들의 말은 유연하게 대처하고, 몸이 피곤할 때는 솔직하게 말하며 서로 건강해지자며 다독이고, 지치고 힘들 때는 청취자에게 기대기도 하면서요.

그 과정을 겪으며 자신이 오만한 사람이었다는 것도 깨달았습니다. 지치고 힘든 많은 사람을 위로해주고 싶어 좋은 마음을 전달하겠다고 했지만, 저 역시도 도움이 필요한 한 명의 사람이었죠. 긍정적이고 힘찬 에너지를 청취자에게 전달할 때도 있지만, 저 또한 누군가에게 에너지를 받아야 하는 사람이라는 것을 깨달았습니다.

때론 청취자가 든든하게 어깨를 내밀며 저를 받아줄 때, 라디오는 DJ가 일방적으로 마음을 전달하는 게 아니라 청취자와 서로 마음을 주고받는다는 걸 알았습니다.

그래서 '라디오는 친구' 같다는 의미를 새삼 들여다보게 됐습니다. 사소한 이유로 싸우기도 하고, 의리로 지켜보면서 못해도 응원해주기도 하며, 힘들 때는 경청하며 다독여주는 사이, 그것이 친구가 아닐까 생각이 들었습니다.

그런 의미에서 저는 친구가 많습니다. 재밌는 친구, 장난을 많이 치는 친구, 진심으로 응원을 잘해주는 친구, 엉뚱한 친구, 말없이 지켜보는 친구까지요. 그리고 그 친구들 덕분에 계속해서 라디오를 해왔고 앞으로도 계속할 수 있죠. 가능하다면 힘이 닿는 데까지 오래도록 친구들과 함께하고 싶습니다. (함께, 해 주실 거죠?)

앞으로
DJ줄리의 계획

오디오북으로
들어보세요

어느새 라디오 크리에이터를 한 지, 햇수로 4년째입니다. 그동안 늘 매년, 매달 목표를 설정하며 계획적으로 일했습니다. 그러면서 뜻대로 되지 않은 결과를 마주하면 스트레스받거나 울적했죠. 내가 생각한 이상보다 현실의 나는 한참 모자라는 것처럼 느껴졌습니다. 그래서 자책을 하면 주변에서는 늘 아니라고 손을 저었습니다.

"네가 얼마나 잘하고 있는데. 대단해."

주변에는 자존감을 지켜주는 마음씨가 좋은 지인과 청취자가 많아 감사합니다. 그런 말을 들으면 순간은 기분이 좋지만, 스스로가 그 말을 받아들이고 있지 못해 기분이 나아지진 않았죠. 더 많은 일, 더 많은 수입, 더 많은 사람이 있어야만 행복해질 것 같았습니다. 혼자만 만족하지 못하고 있었죠.

그러다 한 해가 지나면서 지난해보다 일이 줄었을 때, 어떻게 지난해를 보냈는지 돌아봤습니다. 꽤 많은 사람의 응원을 받으며 다양한 일을 해왔던 지난날들이 떠올랐습니다. 아프고 나서야 아무 탈 없이 건강한 게 감사하다는 걸 깨닫는 것처럼, 일이 적어지고 나니 그간 쌓아온 다양한 일들이 눈에 들어왔습니다.

요즘은 많은 크리에이터가 있고 다양한 프리랜서가 있는데 저처럼 라디오만 해온 '라디오 크리에이터'는 흔치 않았죠. 라디오 크리에이터라고 소개를 하면, 어디서 어떻게 라디오를 하는지 궁금해하는 사람이 많았습니다. 그리고 또 앞으로 궁금해할 사람도 있으리라 생각합니다.

'라디오 크리에이터가 뭐예요?'

그 질문에 답이 될 수 있도록 지금껏 해온 이야기를 모아 책으로 만들기로 했습니다. 책을 내는 것까지는 제 계획이지만 앞으로 어떻게 될지는 저도 누구도 아무도 모릅니다. 기껏 만든 책이 팔리지 않아 창고에 쌓이거나 한두 권은 냄비 받침대, 모니터 받침대로 쓰일 수는 있겠죠. 그런 결과가 생겨도 괜찮습니다. 행동을 한 건 저이지만 결과는 제가 만드는 게 아니니까요. 아쉬운 점은 고치고 또 고쳐 작업을 해 나가며, 현재 할 수 있는 일을 후회 없이 할 것입니다.

좋아하는 라디오로 직업을 만들었습니다. 라디오 DJ가 아닌 라디오 크리에이터입니다. 직접 라디오를 기획하고, 대본 쓰고, 진행하며, 오디오로 할 수 있는 다양한 활동을 해왔고 앞으로도 할 예정입니다. 목소리로 어떤 일까지 할 수 있을지, 저도 궁금합니다. 이렇게 다양한 일을 할 거라고 저조차 예상하지 못했습니다. 처음에는 단순히 스트리밍 방송과 팟캐스트만 생각했고, 그것만이 보였죠. 그러면서 좋아하는 일에 더욱 집중하고 집요하게 파고드니 새로운 일이 들어왔습니다.

"좋아하는 일이 직업이 될 수 있을까?"

좋아하는 일에 도전하는 사람을 주춤하게 만드는 질문이라 생각합니다. 물론 처음에는 서툴러서 잘 안 되고, 원하는 대로 안 돼서 실망하고 지칠 수 있습니다. 그럴 때마다 제 이야기를 상기하며 동기부여가 되어 이겨냈으면 좋겠기에 책을 썼습니다. 물론 제 이야기가 많은 사람이 인정할 만큼 성공하지 않아서 와닿지 않을 수 있습니다. 그렇지만 성공은 완전한 목적지가 아니라 생각합니다. 성공하다 실패할 수 있고, 인기도 오래갈 수는 있는 것이 아니죠.

우리는 완성을 꿈꾸지만, 어쩌면 완성보다는 미완성인 채로 완성을 향해 달려가는 것이 삶이 아닐까 싶습니다. 그러니 부족한 자신을 하나씩 채워가며 삶을 만들어가는 게 어떨까요. 앞으로 어떤 일이 생길지는 아무도 모릅니다. 거기에 시도할 기회는 의지대로 여러 번 가능합니다. 그 과정을 저와 함께하면 더욱 좋겠고요. 언제든 마음이 활짝 열려 있는 친구가 여기 있습니다.

힐링이 필요할 때,
줄리의 라디오를 찾아오세요.

좋아하는 라디오로 직업을 만들었습니다

2023년 6월 30일 초판 1쇄

지은이 : DJ 줄리

펴낸곳 : 줄리의 라디오

디자인 : 김소피

출판등록 : 제2023-000055호(2023년 4월 17일)

이메일 : jully.radio.01@gmail.com

ISBN 979-11-983631-0-7 (03800)

• 표지 글꼴은 (사)세종대왕기념사업회에서 개발한 문화바탕체입니다.

• 이 책의 국립중앙도서관 출판시도서목록은 e-CIP 홈페이와 국가자료공동목록 시스템에서 이용하실 수 있습니다.